a cor do leite

NELL LEYSHON

a cor do leite

Tradução
Milena Martins

Rio de Janeiro | 2014

Título original: *The Colour of Milk*

Publicado originalmente na Grã-Bretanha em língua inglesa
pela Penguin Books Ltd.

Imagem de capa: Michael Hall / Getty Images

Capa: Rafael Nobre / Babilonia Cultura Editorial

Editoração: FA Studio

Texto revisado segundo o novo
Acordo Ortográfico da Língua Portuguesa

2014
Impresso no Brasil
Printed in Brazil

Cip-Brasil. Catalogação na fonte
Sindicato Nacional dos Editores de Livros-RJ.

L655c Leyshon, Nell
A cor do leite / Nell Leyshon; tradução Milena Martins.
— 1. ed. — Rio de Janeiro: Bertrand Brasil, 2014.
208 p.; 21 cm.

Tradução de: The colour of milk
ISBN 978-85-286-1581-4

1. Ficção inglesa. I. Martins, Milena. II. Título.

14-09819 CDD: 823
CDU: 821.111-3

EDITORA BERTRAND BRASIL LTDA.
Rua Argentina, 171 — 2º andar — São Cristóvão
20921-380 — Rio de Janeiro — RJ
Tel.: (0xx21) 2585-2070 — Fax: (0xx21) 2585-2087

Atendimento e venda direta ao leitor:
mdireto@record.com.br ou (0xx21) 2585-2002

primavera

esse é o meu livro e eu estou escrevendo ele com as minhas próprias mãos.

nesse ano do senhor de mil oitocentos e trinta e um eu fiz quinze anos e estou sentada perto da minha janela e posso ver muitas coisas. posso ver pássaros e eles enchem o céu com os seus gritos. posso ver as árvores e posso ver as folhas.

e cada folha tem veias.

e a casca de cada árvore tem fendas.

eu não sou muito alta e o meu cabelo é da cor do leite.

meu nome é mary e eu aprendi a soletrar ele. m. a. r. y. é assim que se escreve ele.

eu quero contar o que foi que aconteceu mas não posso ter pressa como os bezerros quando atravessam a porteira porque se eu for muito rápido eu vou tropeçar e cair e você vai querer que eu comece pelo começo.

e esse é o começo.

era mil oitocentos e trinta pelos anos de nosso senhor. e o papai morava numa fazenda e tinha quatro filhas das quais eu sou a que nasceu por último.

morando também na casa tinha a mamãe e o meu vô.

a gente não era de deixar os animais ficarem dentro de casa mas às vezes um cordeirinho podia ficar se ele tinha perdido a mãe e a gente precisava alimentar ele de noite.

a história começa no ano mil oitocentos e trinta. os anos são os do senhor.

o dia que ela começou não fazia calor. não. fazia frio e a geada estava em cada folha de grama. mas depois o sol abriu e geada foi embora e então os pássaros todos vieram. e parecia que tinha sol nas minhas pernas porque eu senti que tinha. o sol entrou nas minhas pernas e subiu até a minha cabeça.

a seiva estava correndo pelos caules. e as folhas estavam se desenrolando. e os pássaros estavam forrando os seus ninhos.

e o mundo tinha entrado na primavera.

eu lembro onde eu estava naquele dia porque eu estava botando as galinhas pra fora porque elas tinham ficado trancadas a manhã toda pra chocar os seus ovos e agora elas tinham que sair pra correr e comer minhocas e insetos porque isso ia fazer os ovos ficarem gostosos e elas também comiam o mato que estava começando a crescer depois do inverno que foi muito frio.

eu abri a porta do lugar onde as galinhas moravam e foi o galo que saiu primeiro e ele estava marchando no ritmo de uma música que não tinha.

as galinhas ficaram paradas na porta olhando pro dia e eu tive que correr atrás delas pra elas saírem e irem pro pasto e foi aí que eu ouvi a minha irmã beatrice me chamando. ela parou na porteira e disse o meu nome.

mary, ela falou. o que você tá fazendo?

o que que parece?, eu respondi.

parece que você tá botando as galinhas pra fora, ela falou.

é mesmo?, eu falei. que estranho porque eu não tava. eu tava dançando com o frango e depois a gente deu um banquete e o porco chegou e sentou na ponta da cadeira e cantou pra nós uma música.

você não tem cura, ela falou.

por que que eu devia ter?, eu perguntei. eu nem tô doente.

trabalha mais e fala menos, ela falou.

olha menos o que os outros tão fazendo e faz mais o que que você tem que fazer, eu falei. e aonde é que você foi?

fui na igreja.

bem, ir na igreja não dá comida pros animais, dá?

faz deus dar a comida deles.

olha pra mim, eu falei, arrastando o baldão de comida. não tô vendo deus dando nada.

ele pode não estar levando a comida, ela falou, mas ele é que faz ela nascer.

então que idiota eu sou, eu falei, e eu que pensei que tinha sido eu que tinha plantado as sementes todas.

você não devia falar assim.

eu falo do jeito que eu quero, eu falei.

um dia você vai ter problemas.

ah, é?

é, ela falou. você vai.

eu botei as minhas mãos na cintura. tenho tido problema a vida toda, eu falei, mas eu nunca vou parar de falar o que eu acho.

eu percebi, ela falou.

e aonde é mesmo que você disse que foi?

na igreja, ela falou, porque fui limpar porque dá poeira.

eu sei que dá poeira, eu falei. não sou burra.

ela virou a cabeça pro lado. ah, não é, mary?

não, eu falei. eu não sou burra. e antes que você fique falando eu não sou abobalhada. nem nada disso.

a beatrice foi pra casa e eu segui ela e a gente entrou pela porta de trás. só que ela não imaginava mas a mamãe estava lá dentro com o balde cheio de leite até a boca na mão. e ela olhou pra beatrice como quem diz o que que você tá fazendo em casa? vai lá fora trabalhar!

e a beatrice ficou ali com a boca aberta e depois falou toda dengosa pra mamãe, mary disse que era pra mim vir aqui. ela disse que a senhora tava me chamando.

e então a beatrice olhou pra mim daquele jeito que diz é melhor você ficar de boca calada.

a mamãe encarou a beatrice, depois falou, sai daqui. vai lá pra fora.

e a beatrice foi.

e aí ficamos eu e a mamãe na cozinha.

a mamãe perguntou, você cuidou das galinhas?

claro que cuidei, eu falei, a senhora mandou eu cuidar, então eu cuidei.

quantos ovos tinha?

ovos?, eu falei. ovos?

ela ficou me olhando.

bem, nenhuma mosca pousava no rosto da mamãe desde o ano mil setecentos e noventa e dois, quando ela estava com uma semana de vida e uma mosca entrou voando no quarto e foi dentro do berço dela. mas mesmo naquela época a mamãe já era rápida que nem um rio e espantou a mosca e a partir daquele dia as moscas entenderam que não era pra elas chegarem perto dela.

é, ovos, ela falou. quantos tinha?

perdi a conta, eu falei.

perdeu a conta? como?

como?, eu falei.

é. como?

ah, eu falei, acho que eu sei o que que aconteceu.

ela me encarou. e esperou.

eu acho, eu falei, que eu fiquei tão ocupada contando os meus passos enquanto eu vinha pra cá que isso me fez esquecer que era pra mim trazer os ovos.

se você tem tempo pra contar passo, ela falou, então é porque não tem trabalho bastante e tá querendo mais, né?

fiz que sim.

o seu pai vai falar no seu ouvido. e vai falar no meu também. então é melhor você ir lá e pegar aqueles ovos.

então eu voltei no galinheiro e coloquei os ovos na cesta. alguns estavam quentes ainda e outros tinham merda e penas grudados.

e tinha um que estava debaixo da galinha e eu tirei ela de cima dele.

eu contei os ovos todos. vinte e isso não dá sorte porque ovo tem que ser sempre ímpar e então coloquei de volta aquele que estava debaixo da galinha e aí tinha dezenove. falei pras galinhas que era pra elas botarem mais ovos no dia seguinte ou elas iam pra panela.

a mamãe estava do lado da mesa. e ela agarrava uma tigela como se quisesse impedir ela de pular no chão.

coloquei a cesta de ovos do lado dela e fui andando pra porta de dentro.

aonde você pensa que tá indo?, ela perguntou.

ver o vô.

não pense que vai ficar lá dentro o dia todo. é bom você começar a falar menos e trabalhar mais.

eu sei, eu falei.

e sei mesmo. mas não consigo evitar. porque é assim que eu sou. a minha língua é rápida que nem a de gato bebendo leite na tigela.

eu entrei no outro quarto e ele estava lá sentado perto da lareira. não tinha fogo. eu sentei na outra cadeira bem de frente pra dele e o meu vô olhou pra mim e sorriu.

como o senhor tá?, eu perguntei.

vou indo, vou indo, ele falou.

eu cheguei a minha cadeira mais perto dele. a violet te deu banho?

oh, deu, ele falou. ela me lavou bem. esfregou tanto a minha pele que quase arrancou ela fora. a violet acha que eu sou uma vaca que ela tá aprontando pra vender. olha só, não iam conseguir muito me vendendo. eu quase não tenho carne, né?

eu ri e ajeitei o casaco que cobria as pernas dele pra deixar elas aquecidas porque elas não funcionavam mais desde que ele caiu de cima dum monte de feno.

quantos ovos tinha hoje, heim, senhorita?, ele perguntou.

não muito.

caralho. eles vao castigar as galinhas.

eles vão é me castigar.

você pode dar lavagem pra elas. dar mais comida. deixar elas mais gordas. elas vão botar mais ovo.

só dão lavagem pro porco.

rouba um pouco da dele.

fiz que sim. eu vou, mas ele é comilão pra caralho.

meu vô sacudiu o dedo. uma jovem dama como a senhorita não pode falar desse jeito, ele falou. olha aqui, fala direito: ele é comilão *para* caralho.

eu ri. então, eu falei, o que que o senhor vai fazer agora?

não tenho muito *para* fazer. vou comer quando a janta ficar pronta. depois vou tirar o meu velho cochilo. aí eu vou descascar umas batatas e depois comer com vocês na mesa, e depois eu vou *para* a cama e me pegar um dia mais perto de morrer.

não fala isso.

e por que diabos não?, ele perguntou. que venha a morte amiga dos que trabalham.

não fala isso também.

por isso que você veio?, pra dizer o que que eu posso ou não posso falar?

não, eu falei. eu vim ver se o senhor tava bem. se não precisava de nada.

tudo que eu preciso é de pernas novas.

ah, eu falei.

é, ah.

o vô olhou pra lareira vazia e voltou a me olhar. olha pra nós, ele falou, que porra de dupla nós fazemos. das nossas quatro pernas, só uma funciona.

a gente riu e aí eu me levantei.

aonde você vai?, ele perguntou.

ela falou que não é pra mim ficar aqui o dia todo. acho que tem umas coisas pra mim fazer.

que se foda! senta aí de novo.

então eu sentei de novo. o senhor viu a beatrice?, eu perguntei.

o vô bocejou. ela veio aqui, ele falou. ficou enchendo o meu saco dizendo que é pra mim me aproximar mais do meu criador. tava rezando pela minha alma tão alto que eu quase fico surdo. o que que ela pensa? que se ela pedir a deus bem alto pra ele me curar eu vou sair pulando por aí e começar a dançar? precisa mais que um milagre pra isso.

aí ele riu. e aí chorou porque ele riu muito e ele pegou um lenço vermelho e branco que ele tinha e enxugou o olho.

suas irmãs, ele falou. vocês não iam sair tão diferentes nem se nascessem de quatro mães diferentes.

mas eu sou a sua preferida, né?, eu perguntei.

ele ficou me olhando e então sorriu e disse que sim. claro que você é. mas não conta isso pras outras.

então a gente ouviu a voz da mamãe lá de fora. ela ainda tá aí dentro conversando?, ela perguntou.

eu me levantei. não quero que ela venha aqui puxar a minha orelha, eu falei.

eu botei o casaco em cima das pernas do vô e abri a janela. eu subi e pulei lá pra fora no pasto. aí eu fechei a janela atrás de mim

dei a volta na casa e andei na direção do galinheiro e da outra porteira. fui batendo nas flores mortas com a vara de pau que eu carregava e as sementes delas se espalhando no ar.

o que que você tá fazendo?

eu olhei pra cima e vi o papai parado na porteira.

olha pra você, ele disse, de bobeira por aí como se não tivesse nada pra fazer.

eu não tava de bobeira, eu respondi. só queria ver onde a violet tava.

ela tá onde ela tem que estar, três acres pra lá, que é onde você tinha que estar também.

tudo bem, eu falei. tô indo pra lá.

então anda logo. não vai pensando que você é especial. só por causa disso aí.

ele apontou pra minha perna.

eu não falei que eu sou especial.

eu atravessei a porteira e passei pelo galinheiro e andei os três acres.

eu não falei que eu era especial.

eu nunca tinha falado.

nem nunca tinha pensado.

a minha perna é a minha perna e eu nunca tive outra perna. eu sempre fui desse jeito e sempre andei desse jeito. a mamãe diz que foi assim mesmo que eu vim pro mundo. eu era um pedaço de gente com cabelo da cor do leite e eu nasci depois da hora e por isso vim coberta de pelo feito bicho. e as minhas unhas eram muito grandes e ela disse que me olhou e eu abri a boca e gritei. tem gente que diz que eu nunca mais fechei a boca.

e tem gente que diz que a mamãe estava doente naquele verão mas continuava trabalhando no campo assim mesmo. que ela não conseguia se abaixar porque tinha um caroço na barriga que era eu e eu ficava atrapalhando.

e me falaram que a minha perna nasceu enrolada em mim. e nunca mais virou normal.

quando eu era bebê até tentaram prender a minha perna num pedaço de pau pra ela ficar reta. mas tudo que conseguiram foi ela roçar tanto no pedaço de pau que começou a sangrar. eu berrei até tirarem aquilo da minha perna. e ela ficar do jeito que ela queria ser.

e é assim que eu sou.

eu andei os três acres e cheguei lá onde as minhas irmãs estavam. as três. a beatrice estava lá e a violet estava lá e a hope estava lá. e eu peguei o meu balde e comecei a fazer o mesmo que elas estavam fazendo que era abaixar pra pegar umas pedras e colocar dentro dum balde até eles ficarem cheios. depois esvaziar os baldes numa carroça.

e enquanto eu trabalhava o sol brilhava e pela primeira vez desde o inverno acabar eu senti o sol nas minhas costas e os pássaros também sentiram porque começaram a cantar tão alto que eu nem conseguia ouvir as pedras batendo no metal dos baldes e aí eu pensei ah, bem, o papai pode ter aquele jeito dele mas cá estamos nós num dia como esse. dá pra aguentar a minha cruz. e aí eu comecei a sentir de novo que o sol estava nas minhas pernas e que ele ia subindo pelo meu corpo e entrando na minha cabeça.

naquele dia de noite eu pensei que ia dormir feito morta porque eu estava muito cansada e a minha perna doía. mas eu nem chegava a cochilar e já estava acordada de novo e os meus olhos abriam de novo e eu não conseguia dormir.

a lua brilhava e iluminava o quarto e por isso eu conseguia enxergar.

a beatrice estava deitada do meu lado. mesmo enquanto ela dormia ela agarrava a sua bíblia na mão. dava pra ouvir ela respirando. pra dentro e pra fora.

quase o tempo todo deitada na cama ela abraça a bíblia. às vezes ela abre a bíblia e vira umas páginas e mexe a cabeça e os olhos dum lado pro outro. só que ela não sabe ler.

isso é porque o papai precisa da gente pra trabalhar na fazenda. ele não pode deixar a gente ir pra escola pra aprender coisas que não servem porque quem é que precisa ler e escrever quando se tem pedra pra catar e balde pra encher com pedra? e leite pra tirar da vaca e balde pra encher com leite?

a beatrice parou de respirar e deu um suspiro alto e se virou de lado e abriu a mão e deixou a bíblia cair no chão de madeira. mas ela não acordou. nem eu porque eu já estava acordada.

eu já tinha dividido cama com todas as minhas irmãs e todas tinham defeitos. a beatrice agarra a bíblia e reza quando a gente está tentando dormir. a violet é mais grande que a cama e fica dizendo que está com frio nos pés porque eles ficam pra fora e quando ela tem que abaixar pra catar pedra ela reclama das costas porque ela é alta e diz que tem que se curvar demais. ela também tem uns cotovelos fortes. e a hope tem a cabeça quente. ela faz qualquer coisa pra ficar com a coberta. me deixa com frio e depois diz que era porque estava dormindo mas eu sei que ela estava era acordada e faz de propósito.

então a beatrice deu um suspiro e deixou a bíblia cair no chão e eu estava acordada. eu levantei da cama e peguei a bíblia e conferi se a urtiga que a beatrice tinha deixado secar pra colocar entre as páginas estava lá e coloquei a bíblia na cama de novo porque eu sei que se a beatrice acordar de mão vazia ela vai achar que é coisa do diabo.

eu fui na janela e puxei pro lado o cobertor que fica preso na borda. a lua lá fora brilhava tanto que fazia sombras como se fosse dia e estivesse sol. a vaca estava deitada no pasto e eu conseguia ver o branco e o preto dos pelos dela. eu saí da janela e coloquei a saia e joguei o xale em cima dos ombros. e saí do quarto.

eu desci a escada com muito cuidado pra minha perna não fazer barulho nos degraus. se ela fizesse eu ia acordar o papai e ele não ia gostar. coloquei as minhas botas e passei pela cozinha e depois pela copa que fedia a queijo novo e a leite porque queijo é leite duro e eu saí pela porta e mergulhei na noite.

e lá fora estava frio e eu devia ter jogado uma coberta em cima dos ombros só que era tarde demais pra isso. e eu passei pelo quintal e pulei a porteira e entrei no pasto e tinha geado porque a grama parecia prata na luz do luar. e a vaca olhou pra mim e nem se mexeu porque ela é a vaca de estimação e está acostumada com gente e eu acho que ela até gosta de ter companhia. e então eu cheguei mais perto e a vaca me deixou ajoelhar e recostar nela e ela estava quente e eu devia ter ficado ali. eu queria ter ficado ali mas não fiquei.

a casa era um corpo preto na noite. dava pra ver o telhado e as chaminés porque tem duas mas a gente só usa uma. e dava pra ver onde estava cada janela mas eu não conseguia ver os vidros. só formas escuras como buracos no tijolo.

tinha janelas no andar de cima e eu conseguia enxergar a do meu quarto de onde eu tinha ficado olhando um pouco antes. e do outro lado tinha outra janela onde a violet e a hope estavam dormindo. e tinha mais uma onde o papai e a mamãe dormiam. e tinha um outro quarto com janela que eu não conseguia ver porque ele ficava na frente da casa e era onde o meu vô dormia antes. só que ele não conseguia mais subir a escada por causa daquelas pernas dele e então ele passou a dormir no quarto do andar de baixo que é onde a gente guarda as maçãs e é por causa disso que a casa tem cheiro de maçã e que o vô tem cheiro de maçã.

eu deixei a vaca deitada na escuridão e dei a volta no pasto e passei pelas galinhas que dormiam e pela porteira. e voltei pro quintal. não sei pra onde eu queria ir. só queria dar uma volta.

ainda estava fazendo frio e eu comecei a achar que era melhor eu voltar e ir pra cama. mas aí eu vi uma pessoa dando a volta no celeiro. pensei que era alguém roubando o feno que era da gente e não dele e então achei que eu devia ir seguindo e ver quem era pra mim poder contar pro papai.

eu andei até o celeiro que estava aberto pro pasto e a lua iluminava ele todo e eu tomava cuidado pra não fazer barulho. parei e fiquei mais quieta que a igreja vazia. e percebi que não tinha uma pessoa só lá. tinha duas.

eu esperei. e depois ouvi uma voz de homem.

eles sabem que você está aqui?, ele perguntou.

não.

ah, violet, ele falou. vem cá.

eu prendi a respiração e não me atrevi a me mexer.

e foi aí que eu vi ela e as bocas deles estavam se tocando e os braços do homem davam a volta nela. eu podia ouvir o meu coração. e então as mãos do homem foram na saia dela, e ele começou a levantar ela e depois ele deitou a violet no feno e se deitou também e puxou mais a saia e dava pra ver as pernas dela brancas e a mão dele subindo pelas pernas dela e entrando na saia e ele disse ah, violet de novo.

e ele fazia um barulho que nem bezerro procurando teta e então a violet falou uma coisa.

ah, não, ela falou. você não pode fazer isso.

posso, sim, ele respondeu.

e a boca dele encostou na dela e ele começou a tirar o corpete dela que ela nunca tira nem pra dormir. e dava pra ver aquele lugar. todo molhado.

ele abriu as pernas dela que eram muito brancas na noite escura e ele trepou nela e começou a se mexer. e foi aí que eu fechei os meus olhos. e não demorou muito pros barulhos pararem e eu ouvir ele falar.

violet, ele falou.

eu abri os meus olhos e vi quando ele beijou ela e vi ela subindo o corpete e baixando a saia. e ele tirou um pedaço de feno do cabelo dela e ela disse que precisava ir embora.

e então ela beijou ele e eu dei um passo pra trás na escuridão e ela saiu do celeiro e foi andando de volta pra casa pelo quintal.

e ele ficou onde estava por um tempo depois arrumou as roupas e se sacudiu pra tirar o feno de cima e aí saiu do celeiro e eu olhei ele ir embora pela alameda.

eu atravessei o quintal e passei pela porteira e entrei no pasto. a vaca ainda estava deitada lá. sentei no chão frio e me encostei do lado dela e senti que ela tinha cheiro de leite e merda no rabo.

eu fiquei sentada ali e esperei meu coração ficar calmo. e a grama estava dura e prateada porque tinha geado.

eu levantei a minha saia e olhei pras minhas pernas ali em cima da grama. elas eram brancas na luz do luar. eu abaixei a mão e toquei a minha pele e depois baixei a minha saia e botei os joelhos no queixo.

eu fiquei sentada ali com os meus braços me abraçando apertado até sentir tanto frio que os meus dentes começaram a bater e aí eu tive que me levantar e voltar pra casa.

tem uma coisa que você precisa saber.

eu estou escrevendo isso com as minhas próprias mãos nesse ano do senhor de mil oitocentos e trinta e um e eu estou orgulhosa porque é a minha mão que está escrevendo isso.

você vai ver por quê.

eu prometi que ia falar tudo que aconteceu. eu disse que ia contar tudo mas eu não contei. eu não falei a verdade.

é que quando eu estava sentada no chão do lado da vaca e levantei a minha saia e olhei pras minhas pernas ali em cima da grama eu baixei a minha mão e me toquei naquele lugar.

no outro dia de manhã a beatrice teve que me sacudir pra me acordar e ainda estava escuro e frio e eu botei a minha saia e me cobri com o meu xale e desci a escada e fui ver as vacas. chamei elas e sentei no banquinho e peguei o balde. a nossa vaca de estimação foi a primeira e ela sempre é e encostei a minha cabeça nela enquanto tirava o leite e as minhas mãos ficaram aquecidas no meio das tetas. e o leite saiu fácil.

a violet estava perto de mim sentada no banquinho dela e ela bocejou e foi aí que eu me lembrei do que tinha acontecido de noite. mas eu pensei que podia ter sido um sonho e podia não ter acontecido. só que ela bocejou de novo e eu tive certeza que tinha sido de verdade.

e o leite ia enchendo os nossos baldes.

violet, eu falei. você dormiu bem?

ela parou de tirar o leite e olhou pra mim. você tá perguntando por quê?

eu fiz que nem me importava. só tava pensando, eu falei.

bom, pense em coisa melhor.

eu continuei tirando o leite mas não ouvi nada caindo no balde dela. olhei pra violet de novo e ela estava olhando pra mim.

os seus dedos não tão funcionando bem?, eu perguntei.

a sua cabeça não tá funcionando bem?, ela perguntou.

eu bati na minha cabeça. parece que tá funcionando muito bem, eu falei.

a violet se levantou e levou o banquinho pro outro lado da vaca que ela estava tirando leite porque de lá ela não podia me ver e eu me encostei na minha vaca e puxei as tetas com mais força e tentei pensar só no que eu estava fazendo e não na violet deitada no feno e no homem levantando a saia dela e nas pernas dela tão brancas na luz do luar.

• • •

naquele dia mais tarde as ovelhas tinham que ir no pasto do lado da igreja. falaram que era pra mim ir lá ajudar.

a hope foi na frente e fechou a porteira pras ovelhas não entrarem nos jardins. eu fui atrás abrindo a porteira que ela tinha acabado de fechar. é melhor ser quem vai na frente e fecha a porteira porque quando você é quem vai atrás você tem que pisar na merda.

a gente cruzou a alameda e entrou no povoado. e passou por todas as casas e a hope abriu a porteira pra gente entrar no pasto da igreja e ficou parada lá enquanto as ovelhas entravam. e as ovelhas passaram. e a gente fechou a porteira do pasto da igreja.

ficamos paradas na porteira e de lá dava pra ver a igreja e o telhado da casa onde o pastor mora que se chama presbitério e então eu vi ele sair da casa e parar e olhar pra gente. ele é o filho do pastor que mora lá. o nome dele é ralph.

ele veio perguntar pra gente se a violet também estava lá. e a gente disse que não e que ela estava na fazenda pegando mais pedras no terceiro acre e a gente tinha que voltar lá pra pegar pedras também. então eu perguntei por que que ele queria ver ela.

o ralph encolheu os ombros. porque eu quero.

você foi lá pra ver ela?, eu perguntei.

não com o seu pai por perto, ele falou. não sou tão burro.

então você não foi lá ontem de noite?

do que você está falando?, ele perguntou. ele estava me encarando e eu vi que a hope estava me encarando também.

é mesmo, a hope falou, do que que você tá falando?

de nada, eu falei.

ela é assim mesmo, a hope falou pro ralph. ela nunca sabe de nada.

o que vocês estão fazendo?, o ralph perguntou.

a gente trouxe as ovelhas, a hope respondeu.

imaginei, o ralph falou. e olhou pra alameda e apontou pra merda que tinha ficado lá.

a hope riu. ela botou o cabelo pra trás da orelha e ficou sorrindo.

vem, hope, eu falei. o papai deve estar procurando a gente.

não dá bola pra ela, a hope falou. aonde que você tá indo agora?

não sei, o ralph respondeu. depende de pra onde você está indo. qual é o seu nome? vocês são tantas por lá.

hope, a hope falou.

hope, o ralph repetiu devagar.

eu peguei a hope pelo ombro e ela me deu um chega pra lá. vai pra casa, ela falou.

e o papai?, eu perguntei.

diz pra ele que eu fiquei pra escolher uma ovelha.

ele não vai acreditar, eu falei.

ela não sabe quando parar, a hope falou. me deixa louca.

ela se virou pra mim e segurou o meu braço. e me deu um beliscão. forte.

vai pra casa, ela falou.

ai.

ai o quê?, ela me empurrou e eu fui embora cambaleando.

vai, ela sibilou. vai pra casa.

eu voltei pra casa pela alameda. passei o décimo acre e depois o terceiro e então o quintal.

o papai estava do lado do porco. ficou me olhando chegar. cadê a hope?, ele perguntou.

ela ficou pra escolher uma ovelha, eu respondi.

e aí mesmo eu tentando fugir porque eu sabia o que ele ia fazer ele me acertou do lado da cabeça tão rápido que ninguém ia ter conseguido impedir.

vai trabalhar, ele falou.

a violet estava esfregando as costas que estavam doendo mas é isso que dá ser tão alta. e a beatrice estava atirando todas as pedras no balde mesmo com ele bem na frente dela porque ela gostava do barulho das pedras batendo no metal. ela cantava uma música que tinha ouvido enquanto rezava por um sinal de deus na igreja.

os pássaros chegaram mais perto pra ver o que que a gente estava fazendo mas viram que a gente não estava plantando sementes e foram embora.

a minha cabeça doía um pouco onde o papai tinha me batido mas eu estava no sol e o sol esquentava as minhas costas. e eu esqueci logo do que o papai tinha me feito e esqueci de tudo menos que eu estava lá no sol ouvindo os pássaros e eu e as minhas irmãs começamos a cantar enquanto a gente pegava as pedras.

o sol começou a ir embora. ficou escuro e estava muito difícil ver as pedras no chão.

a gente jogou as últimas pedras na carroça e então eu peguei a égua e amarrei ela e levei as pedras pro fundo do quintal onde elas não iam atrapalhar os arados.

e já estava bem escuro quando a gente entrou na cozinha. o lampião estava aceso e a mamãe estava perto do fogo. e o nosso vô estava sentado na mesa.

oi, vô, eu falei. o senhor teve um dia bom?

dia bom?, a mamãe perguntou. esse preguiçoso só fica sentado naquela cadeira velha. peste.

ele não é preguiçoso, eu falei. ele não tem escolha. tem que ficar sentado lá. ele não consegue ir mais a lugar nenhum com essas pernas dele.

ele podia muito bem estar morto, ela falou, esse inútil.

bem que eu queria estar morto, o meu vô falou, pra não ter que ouvir você falando essas coisas.

bem, eu estou muito feliz porque o senhor não tá morto, vô, eu respondi. porque o senhor deixa a gente feliz.

felicidade nunca encheu barriga de ninguém, a mamãe falou.

cadê o papai?, a violet perguntou. e cadê a hope? ela não tava lá no pasto.

é. a gente teve que fazer o trabalho dela, a beatrice falou.

foi aí que eles dois entraram. o papai primeiro arrastando a hope e ela berrando e tentando escapar. ele prendia ela debaixo do braço dele e depois ele empurrou ela em cima do banco da cozinha. o nariz dela estava saindo sangue e a cabeça dela também e tinha sangue na mesa.

você não precisava fazer isso, o meu vô falou.

precisava sim, o papai respondeu. pra ela aprender a não correr atrás de moleque na igreja. tem muito trabalho pra ela fazer aqui.

você não ficou correndo atrás da mãe delas quando tava namorando?, o meu vô perguntou. você tinha que carregar o feno mas sumia por horas.

você pode ser o meu pai, o papai falou pra ele, mas isso não te dá o direito de falar assim comigo.

o papai pegou o meu vô pelos braços e puxou ele pra fora da cadeira e pra fora da cozinha e pra dentro do outro quarto.

faz ele parar com isso, eu gritei pra mamãe.

não, a mamãe respondeu. de quem é essa fazenda? quem é o homem aqui?

no outro dia eu estava arando o terceiro acre e a primeira coisa que a gente tinha que fazer era jogar os restos da última colheita no chão pra ele ficar forte e fazer as sementes crescerem mais.

todas as manhãs eu levava a égua pro pasto e amarrava o arado nela. quando dava a hora de jantar eu sentava perto do arado e comia pão com queijo e bebia leite. depois eu pegava as rédeas e batia e a gente começava a trabalhar de novo. continuava abrindo buracos com o arado. da hora que o sol nascia até a hora que ele ia embora. todo santo dia.

• • •

teve um dia de tarde que eu fui no quarto das maçãs. o meu vô estava deitado na cama que ficava no meio das caixas e eu peguei uma das caixas e virei ela e sentei em cima.

o que que você tá fazendo?, ele perguntou.

eu tenho que ter um motivo pra vim ver o senhor?

claro que não, ele falou. como tá o mundo?

do mesmo tamanho, eu falei.

você tava lavrando?

eu mostrei as mãos pra ele. bolha pra caralho, eu falei.

não fala assim.

mas tá doendo.

vai passar, ele falou. logo você vai descansar enquanto as sementes crescem.

e alguma vez o senhor já viu ele deixar a gente descansar?, eu perguntei.

ele deixa vocês dormirem.

só porque a gente vai trabalhar melhor no outro dia e porque a gente não consegue ver nada quando tá escuro.

o meu vô riu. ele esticou o braço e pegou uma maçã duma das caixas e mordeu e depois jogou ela longe e cuspiu o que tinha ficado na boca.

amarga pra caralho.

então o senhor pode falar assim e eu não posso?, eu perguntei.

eu sou velho.

nem tanto.

é assim que eu me sinto.

quer que eu ache uma maçã doce?, eu perguntei.

não. chega de maçã.

eu olhei em volta. o senhor não tem nada pra fazer aqui, eu falei. não é chato?

o que que você acha?

deve ser meio chato quando a gente tá longe trabalhando.

a sua mãe tá sempre entrando e saindo daqui. dizendo que eu sou preguiçoso.

o senhor não fica triste?, eu perguntei.

não por muito tempo.

nem eu, eu falei. tem umas vezes que eu tenho que ficar me lembrando que estou triste senão eu começo a ficar feliz de novo.

a gente ficou em silêncio por um tempo e então o meu vô perguntou se eu sabia que dia era amanhã.

eu nunca sei que dia é, eu respondi.

domingo de páscoa, ele falou.

então vai ter igreja, eu respondi.

melhor você acordar mais cedo antes de ir na igreja, ele falou. ir até o topo do morro pra ver o sol nascer de lá.

pra que isso?, eu perguntei.

porque assim tudo que você quiser pro ano que vem vai acontecer.

tudo?

tudo.

• • •

eu fiquei com medo de dormir porque se eu acordasse tarde o sol ia ter nascido sem eu conseguir ver.

e então eu pensei na melhor hora pra ir e saí da cama e botei o meu vestido e o meu xale. comecei a andar pra porta mas a beatrice acordou e perguntou, o que que você tá fazendo? você nunca fica quieta?

eu falei, tô indo no alto do morro pra ver o sol nascer porque isso dá sorte e não me fala pra mim ficar na cama porque eu tenho muita força e as minhas pernas ficam nervosas quando eu fico parada e aí eu tenho que arrumar alguma coisa pra fazer.

mas tá de madrugada, ela falou.

mas é domingo de páscoa, eu respondi, então eu tenho que ir.

então me espera, ela falou.

eu esperei enquanto ela botava a saia e o xale e a gente abriu a porta devagar. eu saí do quarto e segurei no corrimão pra descer a escada e a beatrice me seguiu. quando a gente chegou lá embaixo eu ouvi uma porta abrindo e a gente ficou parada e prendeu a respiração. eu pensei que ia ouvir a voz do papai chamando mas escutei foi uns passos na escada. claro que não era o papai porque se fosse ele ia estar gritando com a gente e ia dar briga. a gente esperou e era a hope. e a gente falou baixinho pra ela aonde a gente estava indo e ela foi buscar a violet que desceu também e nós quatro colocamos as botas e saímos pela porta e cruzamos o quintal e andamos pra bem longe pela alameda até a gente saber que estava a salvo. e depois a gente começou a rir e pular porque a gente sabia que estava fazendo arte, mas éramos muitas. o que que ele podia fazer?

então a gente andou pela alameda e pegou a estrada que ia dar no morro e tinha lama e mato alto e os espinhos agarravam nas nossas saias. e ainda estava escuro apesar de eu ver uma luz entre as nuvens.

a violet ia na frente como sempre porque as pernas dela são muito grandes e a beatrice ia atrás dela e depois a hope. eu ia seguindo e não me importava de demorar desde que eu pudesse olhar em volta e ficar sozinha comigo mesma e ouvi um pássaro noturno cantando que eu pensei que era um bacurau mas ele cantou de novo e eu vi que era uma coruja.

e então eu ouvi alguma coisa num dos arbustos e pensei deve ser um coelho ou deve ser um texugo porque eles gostam da beira do morro e fazem bagunça pra cavar as suas tocas.

eu chamei as minhas irmãs pra pedir pra elas irem mais devagar ou até pararem e me esperarem mas elas não responderam porque já tinham subido o morro e então eu continuei andando e pulei a porteira que ia dar lá.

o céu estava começando a clarear e eu segui em frente mesmo ficando cansada porque eu estava indo o mais rápido que eu conseguia.

as minhas irmãs já estavam lá em cima quando eu cheguei junto delas. ficamos olhando o mundo em volta. pra qualquer lugar que a gente olhasse dava pra ver a vista porque não tinha nenhuma árvore nem nada na frente. dava pra ver o mundo todo.

e enquanto eu estava lá em cima e as minhas irmãs estavam lá em cima e a gente estava junto lá em cima o céu começou a clarear e as nuvens diminuíram e foram embora e o céu ficou claro e as estrelas sumiram.

e o sol se levantou sobre a terra e o novo dia nasceu.

eu virei pra um lado e pro outro pra olhar a vista. pra frente. pra trás. pra todos os lados. e alguns pássaros começaram a voar dando voltas em cima da gente. eles trocavam de posição. um deles ia guiando os outros e depois passava pra trás da fila.

a violet sentou no chão primeiro e ficou olhando pro leste onde o sol estava nascendo. as outras sentaram do lado dela e eu sentei também.

então se o que você sonhasse hoje fosse acontecer, a violet falou, o que que seria?

eu deitei de costas com a cabeça na grama e senti o frio no meu pescoço entrando pelo meu cabelo.

beatrice?, a violet chamou. você responde primeiro.

a beatrice respirou fundo e depois bufou.

ah, vamos lá, a violet pediu.

qualquer coisa?

qualquer coisa.

conhecer o nosso senhor.

a hope tinha se deitado e sentou de novo. que sonho mais inútil, ela falou. você vai conhecer ele de qualquer forma quando chegar no céu.

vocês falaram que podia ser qualquer coisa, a beatrice respondeu. e é isso que eu quero.

que seja, a violet falou. hope? e você?

eu quero ter uma vida diferente, a hope respondeu, que eu tenha uma casa e uma cama só pra mim e onde fique quente o ano todo e eu não tenha nunca que sair no escuro pra enfiar a cabeça debaixo duma vaca e onde tenha água quente o dia inteiro e me sirvam o que que eu quiser comer.

a violet riu. tudo isso?

tem mais, a hope falou. eu nunca mais quero ficar com fome ou com sede ou tão cansada que os meus olhos fiquem fechando enquanto eu ando.

então é melhor arrumar um marido rico, a violet falou, mas será que ele consegue botar cabresto na sua cabeça quente?

eu não tenho cabeça quente, a hope respondeu. só fico muito cansada.

a gente riu daquilo e aí apareceram dois coelhos e ficaram olhando pra gente e depois eles foram embora. o céu clareou mais ainda e o sol também levantou mais.

sabe o que que eu queria?, a violet falou. que tivesse uma escola que as crianças pudessem ir todo dia nela.

quem ia ensinar?, a beatrice perguntou.

eu, a violet respondeu.

a hope riu. você não pode ensinar, ela falou. você não sabe ler nem escrever nem nada.

cala boca, a violet falou.

que sonho besta, a hope falou.

o seu é que é, a violet falou.

parem de brigar, a beatrice falou. é melhor a gente descer daqui. o papai vai acordar e procurar a gente.

as três levantaram e sacudiram as saias e se enrolaram nos xales.

a violet me deu um empurrão. vem, mary, ela falou.

eu respirei bem fundo e o ar puro entrou nos meus pulmões. era uma sensação nova e diferente de quando eu respirava fundo lá embaixo.

a violet me chamou de novo mas eu levantei os olhos pro céu e vi os pássaros e as nuvens que se moviam.

vem logo, a beatrice chamou. a gente tem que tirar leite das vacas.

ela vai descer, a hope falou.

elas três começaram a descer o morro. eu escutei as três indo embora. rindo. gritando. conversando.

eu me sentei e fiquei só olhando até não conseguir ver mais nada.

então eu voltei a me deitar na grama que crescia mesmo tendo sentido o frio dela entrar pela minha saia. vi o céu mudar de cor e o sol escalar o céu.

quando eu levantei deu pra ver a fazenda e a nossa casa e a alameda e o pasto.

o que que eu queria se eu pudesse sonhar qualquer coisa e fosse acontecer?

o que que eu ia responder se alguém tivesse me perguntado?

eu não sabia. sabia que tinha sonhos mas não sabia quais.

ele estava no quintal me esperando. ele não falou nada. eu não falei nada. caminhei na direção da casa e ele ficou me olhando por um tempo. então ele me alcançou e agarrou o meu braço. e me puxou pra dentro da casa. a hope e a violet assistiam tudo. ele me empurrou pra dentro da cozinha. a mamãe não fez nada. eu gritei e berrei e ela ficou parada olhando.

ele me arrastou pela escada puxando o meu braço e o meu cabelo pra mim não poder escapar. chutou a porta do meu quarto pra abrir e depois entrou comigo e chutou ela de novo pra fechar.

eu não gosto de ter que contar tudo isso pra você.

não. mas eu lembro daquele dia e sei que aquele dia mudou tudo.

e eu prometi a mim mesma que ia contar tudo pra você.

você sabe disso.

eu disse isso.

eu não sei com o que que o papai me bateu. eu não sei quantas vezes o papai me bateu. eu fechei os meus olhos e deixei o papai acabar o que estava fazendo.

ele fez muito barulho. chutou a cama. chutou a porta.

então ele parou. ele me jogou em cima da cama e saiu do quarto. eu fiquei lá. cobri o meu rosto com as mãos e esperei.

a porta abriu e a beatrice entrou. ela tentou tirar as minhas mãos de cima do meu rosto pra olhar mas eu não queria que ela me visse. ela conseguiu afastar as minhas mãos uma de cada vez e limpou o meu rosto com um pano molhado. eu não conseguia abrir os meus olhos direito mas eu vi que ela estava me olhando.

mary, ela falou. você tá bem?

eu não conseguia mexer a cabeça pra dizer que sim mas eu ainda podia falar. pelo menos valeu a pena, eu falei.

eu estou sentada perto da minha janela e estou escrevendo isso com as minhas próprias mãos e eu tenho que escrever nas horas que faz sol porque tem luz e porque a lua não clareia muito e então de noite é escuro e quando fica escuro eu não consigo escrever.

eu lembro daquele dia e sei que aquele dia mudou tudo.

verão

esse é o meu livro e eu estou escrevendo ele com as minhas próprias mãos.

nesse ano do senhor de mil oitocentos e trinta e um eu ainda estou sentada perto da minha janela. o vento está entrando pelos vãos do batente.

eu estou cansada de fazer isso e o meu pulso dói por eu estar fazendo isso.

mas eu prometi pra mim mesma que eu ia escrever a verdade e as coisas que aconteceram. eu vou cumprir.

e o meu cabelo é da cor do leite.

a plantação estava crescendo rápido e floriu e as flores foram embora. e as primeiras folhas verdes apareceram. e os pássaros também. e o ar estava quente e o mato crescia tão depressa que quando a gente cortava ele parecia que no outro dia a gente ia ter que ir lá com a enxada pra cortar de novo. e chovia mas não muito. e quando a chuva parava o sol saía e era por isso que a plantação estava crescendo tanto.

e por isso que tinha tanto mato.

e a égua e as vacas e o porco tinham tanto pra comer. e a égua ficou com as patas machucadas por causa daquele mato todo.

e diziam que não dava nem pra lembrar dum ano tão bom pras plantações quanto aquele

eu tirei água do poço e levei pra mamãe que estava na copa. ela me mandou levar o queijo pra cozinha onde eu coloquei ele em cima da mesa. e ele era pesado. e a mamãe tirou o fio de arame da gaveta. o fio tinha dois cabos de madeira pra gente segurar. a mamãe apontou um deles pra mim.

vê se corta isso direito, ela falou, porque se você desperdiçar aquele queijo vai ver o que que é bom.

e então eu ajeitei o queijo e coloquei o fio de arame em cima e segurei nos dois cabos de madeira e deixei o fio num ângulo que ele pudesse cortar o queijo. eu estiquei o arame e depois enfiei ele no queijo e ele foi entrando devagar pelo pano e descendo pelo queijo.

e eu empurrei o fio de arame até o queijo ficar cortado em duas partes. e ele estava amarelo dentro e o cheiro que saía dele era bem forte.

agora corta de novo, a mamãe falou. e vê se corta um pedaço grande. e a gente enrolou o resto no pano e guardou.

a mamãe pegou o arame e cortou um pedaço do queijo e me deu e disse que a pessoa que come um queijo novo vai ter um bebê.

então ela botou o pedaço na minha boca e o gosto era tão forte que a minha língua parecia que estava queimando.

eu esperei até conseguir engolir e depois perguntei, como é que eu vou ganhar um bebê por causa desse queijo?

você vai, ela falou.

mas como?

você nunca para de fazer pergunta e pergunta, ela falou.

ela pegou o arame e cortou mais pedaços.

mamãe, eu perguntei, se eu tiver um bebê, ele vai ter uma perna que nem a minha?

não sei, ela respondeu. nunca dá pra saber o que que vai vir. pra mim veio você.

ela se virou e enrolou os pedaços de queijo com fatias de pão.

a hope e a beatrice estavam trabalhando com as enxadas e no começo eu não consegui ver o papai nem a violet. mas então quando eu cheguei perto deu pra ver eles dois no lado do pasto. a violet estava sentada na grama. e o papai estava de pé na frente dela.

o papai se virou pra mim e me perguntou o que que eu estava fazendo que tinha feito eu demorar tanto.

eu respondi que estava trabalhando e que tinha trazido a comida.

você demorou, ele falou.

eu vim o mais rápido que eu pude, eu falei.

o seu rápido não é o suficiente.

o que que a violet tem?, eu perguntei.

ela é preguiçosa.

eu não sou preguiçosa, a violet falou. só não tô me sentindo bem.

o papai pegou a comida dele da minha mão e foi se sentar na sombra da árvore. a beatrice e a hope vieram ficar comigo e com a violet e nós quatro ficamos juntas. e eu distribuí o pão e o queijo delas.

a violet desembrulhou a comida e então se virou e passou mal em cima da grama.

que nojo, a hope falou.

ela não tá conseguindo segurar, a beatrice falou.

a gente tá fazendo todo o trabalho dela, a hope falou.

eu dei o jarro dágua pra violet e ela limpou o rosto com ele e depois secou na saia.

a gente tem que terminar o trabalho todo de hoje, a hope falou, ou ele vai fazer a gente trabalhar de noite.

eu vou melhorar, a violet respondeu. ela se deitou na grama e fechou os olhos.

come alguma coisa, eu falei.

ela fez que não. não consigo.

aí o nosso pai me chamou e me mandou dar pra ele a comida da violet se ela não quisesse comer.

então eu fui até lá e entreguei o pacote. ele desembrulhou e comeu.

eu fiquei ali até ele terminar de comer o pão e o queijo. ele tomou de mim o jarro dágua e bebeu um pouco.

senta, ele mandou.

eu sentei na beira da sombra que a árvore estava fazendo.

o seu graham lá do presbitério, ele falou, a mulher dele não tá bem. e aí eu falei pra ele que você vai ir lá ajudar eles.

eu?

não seja grossa.

por que que eles me querem?

a empregada deles foi embora e eles não conseguiram outra. ele me perguntou se eu não podia dar uma de vocês.

e o senhor disse que sim.

ele tá pagando.

por que eu?

porque aqui você não consegue trabalhar feito homem arrastando isso aí. ele apontou pra minha perna.

quando eu tenho que ir?

amanhã.

é só por um dia?

não.

por quanto tempo eu vou ter que ficar lá?

até eles não precisarem mais de você.

ah.

o papai bebeu mais um gole do jarro e eu fiquei olhando ele engolir e o caroço no pescoço dele subir e descer.

eu vou ter que ir pra lá todos os dias?, eu perguntei.

não.

eu fiquei esperando. passou um tempo sem ele dizer nada.

você vai morar lá por um tempo, ele falou.

o papai me deu o jarro. ele levantou e pegou a enxada. as minhas irmãs viram e levantaram também e eles foram embora com as enxadas e voltaram a trabalhar.

agora tem umas coisas que você precisa saber.

eu nunca tinha dormido em outra cama além da minha que eu dividia com uma das minhas irmãs.

eu nunca tinha ficado mais longe de casa do que quando a gente levava as ovelhas pra pastar no lado da igreja.

o meu vô estava sentado na cadeira e eu entrei e me sentei na frente dele.

aí tá você, ele falou, e sorriu. sabe, mary? eu dava qualquer coisa pra estar lá no sol trabalhando. eu passei um monte de anos reclamando das minhas costas e agora eu reclamo porque não posso me abaixar pra olhar o chão. é só quando você não pode mais fazer uma coisa que ela faz falta. sabe, acredita que eu nunca fiz mais nada na minha vida?

eu acredito.

é. todos aqueles anos virando terra e plantando semente. levando bezerro pra mamar. eu nunca fiz mais nada. engraçado, não?

é.

mary?

o quê?

o que que foi? você não tem nada pra dizer? o gato comeu a sua língua?

o papai me falou que eu vou no presbitério.

eu sei.

como o senhor sabe?

ele me contou hoje de manhã.

o senhor não me falou nada.

falei agora.

eu tenho que ir amanhã.

ele me falou. mas você vai voltar.

mas ele me disse que eu tenho que dormir lá. que eu tenho que morar lá.

você vai ficar longe dele.

mas também vou ficar longe do senhor.

por causa disso que você tá assim?

é.

pensei que você ia ficar feliz de ficar longe dum velho.

eu fico feliz por ficar longe do papai. não de nenhum de vocês. não do senhor. não da fazenda.

você vai ficar bem, o meu vô falou. vão cuidar de você. e você não vai estar nem a um quilômetro daqui.

naquele dia de noite a gente comeu bem tarde na cozinha e a gente saiu de novo pra acabar o serviço antes de ficar escuro. o meu vô estava sentado no quintal naquela cadeira dele e ficou olhando a gente limpar o celeiro que a gente estava aprontando pra colocar a colheita nova. o ar tinha um cheiro doce por causa do calor e do pólen e soltava pó do feno que a gente estava tirando. e todo mundo estava junto trabalhando. os pássaros invadiam o celeiro e comiam feno em pleno voo. e o sol morria em vermelho. e a gente começou a cantar.

depois a gente entrou na casa e se sentou na cozinha e a mamãe serviu um pouco de pão e entrava ar quente pela janela aberta e mariposas chegavam e ficavam rodando em volta da luz.

mamãe, eu falei, eu tenho mesmo que ir?

você sabe muito bem o que que o seu pai falou pra eles lá, ela respondeu, e você sabe como ele é. brigar não vai te levar muito longe.

mal ela falou essas coisas o papai entrou na cozinha e ninguém mais falou nada.

eu fui no meu quarto e comecei a arrumar as minhas coisas pro dia seguinte. saia. anágua. avental. meias. xale. tirei a lama seca das minhas botas e coloquei elas do lado da cama. isso era tudo o que eu tinha pra arrumar.

a beatrice entrou no quarto. ela pegou a bíblia e apertou nos braços.

vamos rezar por você, ela falou.

não.

ah, vai.

ela se ajoelhou e me puxou pra junto dela. o chão estava duro e ela abriu a bíblia e ficou olhando pras folhas como se estivesse lendo, só que não estava.

senhor, olha pela sua criança.

eu não sou criança.

fica quieta, mary. senhor, olha pela sua criança e faz ela ficar bem e feliz na nova casa.

lá não vai ser a minha nova casa. essa aqui é a minha casa.

quieta. obrigada, senhor. amém.

a gente foi pra cama e ficou lá deitada no escuro. ouvi a respiração da beatrice ficar mais lenta e calma e quando ficou estável eu saí da cama e fui na janela e olhei lá pra fora.

lá embaixo no pasto a vaca estava toda preta e branca parada na porteira.

o ano é do nosso senhor de mil oitocentos e trinta e um e eu tenho quinze anos e lembro daquela tarde de calor quando nós todos estávamos lá fora. o meu vô na cadeira dele e a gente limpando o feno. a mamãe ajudando e eu e as minhas três irmãs trabalhando. e o ar quente com cheiro de verão e fazenda.

e se eu pudesse parar o tempo eu pararia e ficaria naquele exato momento pelo resto da minha vida e pra sempre.

mas um momento não dura pra sempre.

• • •

eu fiquei a noite toda deitada do lado da minha irmã no colchão de penas. a minha cabeça voava longe assustada feito bezerro que acabou de nascer e eu não conseguia sossegar. eu tentei imaginar como ia ser no presbitério mas não deu porque eu ainda não tinha ido pra lá.

e não vou fingir que estava tudo bem.

eu não vou dizer que eu não estava assustada porque eu estava.

mas eu acho que dormi um pouco.

e devo ter dormido porque eu acordei.

e eu fui a primeira a acordar e amarrei o meu corpete e vesti a minha saia e calcei as minhas botas e peguei o meu balde e fui a primeira a ir no estábulo e me sentei do lado da vaca e encostei a cabeça nela e senti aquele cheiro de leite e merda.

e então quando o balde estava cheio de leite eu levei a vaca pro pasto e o leite pra cozinha e cobri o balde com um pano e depois fui pegar pão e uns pedaços de maçã pra botar dentro dele e comi tomando um chá que eu bebi rápido antes de pegar as minhas coisas que eu tinha enrolado no meu xale. e então fui no quarto das maçãs.

o meu vô estava esticado na cama no meio das caixas de maçãs e olhou pra mim quando eu entrei.

e eu ia falar alguma coisa mas ouvi o papai me chamar.

melhor eu ir, eu falei.

então vai.

mas eu não conseguia me mexer.

o senhor vai ficar bem?, eu perguntei.

o meu vô riu. claro que vou, porra. eu não sobrevivi esses anos todos? eu não vou morrer só porque você não vai estar aqui pra ficar comigo. vai lá. boa sorte.

o sol estava batendo nas costas da gente pelo caminho e o papai andava mais rápido que eu e eu carregava o meu embrulho pelo caminho com o sol batendo nas minhas costas.

eu corri pra alcançar o meu pai só que ele não diminuía o passo. e então eu fui andando atrás dele e vi que o pescoço dele tinha ficado vermelho por causa do sol e que tinha linhas de sujeira nele.

papai, eu chamei.

o quê?

vai mais devagar.

eu falei que ia chegar lá no meio da manhã.

eu vou poder visitar vocês de vez em quando?

não sei.

eu vou voltar pra ajudar na colheita?

o papai parou. tudo que eu sei, ele falou, é que vão me pagar e então você vai ficar lá.

até quando?

dá pra calar a boca e andar? eles tão esperando.

eu fui seguindo o papai enquanto ele passava pela igreja e ia no presbitério. tinha uma porta na frente pintada de verde com uma argola de bronze pra gente bater e uma caixa pras cartas.

e tinha umas flores no jardim. e umas janelas bem grandes pintadas do mesmo verde da porta. a gente deu a volta e tinha uma horta e um jardim e um homem cavando. e tinha a porta de trás. que estava aberta.

o papai bateu na porta com a mão e gritou e então veio uma mulher. ela era pequena e larga e usava um avental branco e um pequeno chapéu branco e disse pra gente esperar ali porque ela ia dizer pro seu graham o pastor que a gente estava esperando.

não demorou muito pra ele chegar na porta. oi, ele falou e apertou a mão do papai mesmo ela estando suja.

essa aqui é a mary, o papai falou.

o seu graham sorriu. bem-vinda, ele falou.

ela não vai dar trabalho, o papai falou.

tenho certeza que não. obrigado por trazer ela.

então tá, o papai respondeu. melhor eu voltar então. ele acenou pra mim e foi embora.

o seu graham sorriu. melhor você entrar, mary.

a gente entrou na casa. então passou pelo corredor com piso de pedra e chegou na cozinha onde estava a mulher de avental branco.

edna, essa é a mary. e mary, essa é a edna. você vai ajudar ela enquanto a minha mulher está doente. certo, edna?

certo, a edna falou.

mostra pra mary onde ela vai dormir, o seu graham pediu. ela pode botar as coisas dela lá.

eu não tenho muita coisa, eu falei.

tudo bem. a edna vai tomar conta de você e mostrar o que você tem que fazer, ele falou.

e o seu graham saiu da cozinha e voltou pelo corredor de pedra de onde a gente tinha vindo.

a edna me olhou de cima embaixo e andou em volta de mim. você é decente?, ela perguntou.

eu sou.

é limpa?

eu tento ser.

vem comigo.

a gente andou pelo corredor de pedra e subiu a escada e depois a gente subiu a outra escada até bem debaixo do telhado onde o teto era inclinado. lá tinha um quarto com duas camas.

você vai ficar aqui comigo, a edna falou. essa aqui é a sua.

ela apontou pra uma cama do lado da janela e eu coloquei o meu embrulho lá.

você tem um avental?

eu tenho esse aqui, eu respondi. desembrulhei o meu xale e peguei o meu avental.

está sujo, ela falou. isso é tudo que você tem?

eu respondi que sim.

ela olhou pro meu xale e pras minhas meias e pra minha anágua.

isso aí foi tudo que você trouxe?

é tudo o que eu tenho.

meu deus! olha só quem eles me trouxeram dessa vez. vem cá.

a gente voltou pelas escadas e entrou na cozinha. a edna abriu um armário grande e pegou um avental branco que ela vestiu em mim e depois ela pegou um chapéu pequeno que nem o dela e prendeu no meu cabelo.

deixa eu ver, ela falou. está melhor mas vai ficar melhor ainda quando você se lavar. certo. acho que eu tenho que mostrar a você onde fica o quê.

ela fechou o armário e começou a me mostrar todas as gavetas e prateleiras e falou onde ficavam as coisas. então me mostrou a copa e um lugar gelado onde guardavam comida.

e aí a gente andou pelo corredor de pedra e a edna parou na primeira porta e abriu.

eu vi uma mesa grande com seis cadeiras. tinha mais armários de madeira lá e um tapete debaixo da mesa. e nas paredes tinha uns retratos duma mulher e um dum cachorro.

essa é a sala de jantar, a edna falou.

o que acontece aqui?

a edna riu. o que que você acha? aqui é onde eles comem.

então ela me levou pra sala ao lado só que a porta estava trancada.

essa sala, ela falou, é o escritório do seu graham. é aqui que ele gosta de trabalhar e é onde ele passa a maior parte do dia.

por que você tá sussurrando?, eu perguntei.

porque agora ele deve estar lá dentro escrevendo o sermão ou coisa assim.

ela andou até o fim do corredor. essa aqui, ela falou, é a sala de visita. e abriu a porta.

era uma sala clara e branca. num dos lados tinha janelas que iam do chão até o teto. e tinha vista pro jardim. e um piano de madeira e um tapete grande florido e uma mesa de duas cadeiras e uma coisa azul que parecia uma cama pra sentar e em cima dessa coisa estava uma mulher.

essa é a senhora graham, a edna falou. senhora, essa é a mary. ela veio lá da fazenda pra ajudar aqui.

a patroa levantou uma das mãos que ela deixou cair de novo do lado do corpo. oi, mary, ela falou. obrigada por ter vindo.

eu não tive escolha, dona graham, eu respondi. o papai disse que eu tinha que vir.

a edna me beliscou nas costas. virei pra ela. o que que foi?

não é pra você dizer isso.

por quê?, eu perguntei. é verdade.

vou treinar ela, senhora graham, a edna falou. não se preocupe.

não estou preocupada, edna, ela respondeu. tenho certeza que ela vai fazer tudo certo.

a edna me puxou na direção da porta. a gente tem que ir, ela falou. a senhora graham está cansada.

estou bem, a patroa disse. por que a mary não fica aqui comigo e me arruma?

eu devia mostrar primeiro o que que ela tem que fazer, a edna falou. ela tem que aprender o jeito certo pra fazer cada coisa.

ela vai aprender com o tempo, a dona falou. deixa ela aqui comigo.

então a edna foi embora. e eu fiquei ali. tentei não olhar pra sala em volta só que não consegui me segurar porque eu nunca tinha visto uma sala que nem aquela.

a patroa estava sentada na coisa que parecia uma cama e que tinha uma coberta azul e tinha um pano azul igual pendurado dos dois lados da janela e o tapete grosso debaixo dos meus pés tinha flores azuis dum azul igual aos outros dois azuis.

mary?

o quê?

você está bem?

sim, dona.

você parece perdida.

não tô. eu sei onde eu tô. só não tô acostumada com tudo isso.

você vai precisar se acostumar então. você vai ficar com a gente aqui?

o papai disse que eu tenho que ficar. ele falou que o marido da senhora tá pagando ele pra mim ficar. falou que ele precisa de ajuda aqui porque a senhora tá doente.

a patroa sorriu. foi isso que me disseram, ela falou. pode colocar mais um travesseiro debaixo da minha cabeça?

o que que é isso?

isso o quê? você não sabe o que é um travesseiro?

não.

é uma almofada, só que você coloca debaixo da cabeça quando vai dormir.

a gente chama de almofada, eu falei.

bem, é um travesseiro. olhe, está ali.

ela apontou pra uma pilha deles e eu peguei um. a patroa se inclinou pra frente e eu botei o travesseiro atrás dela e ela se encostou de novo.

a pele dela era branca que nem o meu avental novo. tinha uma veia azul na testa que tremia feito a perna dum frango que torceram o pescoço.

dizem que a senhora tá doente, eu falei.

é verdade.

o que que tem de errado com a senhora?

não lhe contaram?

não me contaram nada só que era pra mim vir pra cá e deixar a minha casa e ficar aqui até a senhora não me querer mais e que eu tenho que fazer o que a senhora mandar.

a patroa sorriu. meu coração é fraco, ela falou.

ah.

muito fraco.

parece que a sua voz tá fraca também, eu falei.

ela sorriu de novo. acho que está, mary. meu coração nunca foi forte mas parece que está ficando pior. o médico vem aqui, mas não tem nada que ele possa fazer.

isso faz a senhora se sentir mal?

sim, faz. o coração é um órgão muito importante do corpo. parece que com um coração ruim nada mais funciona bem. mas eu espero que a minha mente ainda esteja funcionando.

parece que ela tá, eu falei. parece que não tem nada de errado com ela.

a patroa riu um pouco e depois fechou os olhos e eu ia ir embora mas ela começou a falar. não vai, ela falou.

então eu parei.

você veio da fazenda. o meu marido me falou.

eu vim sim.

eu já tinha visto você e as suas irmãs antes quando vocês vinham na igreja. você parece muito com a sua mãe agora. mas você sorri mais.

não é muito difícil sorrir mais do que ela, eu falei.

ela não sorri muito?

não.

por quê?

ela não tem muito por que sorrir.

ah.

eu olhei pra sala em volta. cadê a visita?, eu perguntei.

que visita?

a edna me disse que essa é a sala da visita.

a patroa riu.

a senhora tá rindo de mim?, eu perguntei.

não. você é tão inocente. uma sala de visita é onde você fica e se senta. sala de visita, sala de reunião, sala de estar. você pode chamar do que quiser. do que vocês chamam lá na fazenda?

sei lá. de sala, eu acho. a gente tem uma cozinha e uma sala. e o quarto das maçãs.

ah. entendo.

então, eu falei, o que que a senhora quer que eu faço agora?

você pode ir arrumando a sala. botando os livros no lugar. ela apontou pra uma pilha no chão e eu peguei eles.

onde eles ficam?

ela apontou pra uma parede coberta de livros de todas as cores e de todos os tamanhos. ficam ali, ela falou. onde tem espaço vazio. coloca os livros neles.

eu levei eles pra lá e enfiei nos espaços e ajeitei pra ficarem que nem os outros. aí eu me virei de novo pra patroa. o que que eu faço agora, eu perguntei?

ah, querida, você vai ficar assim o tempo todo enquanto estiver aqui?

eu tô acostumada a sempre ter o que fazer.

então temos que arrumar coisas pra você fazer. que horas são?

eu não sei.

tem um relógio ali.

eu não sei ver hora no relógio, dona.

nunca lhe ensinaram?

a gente não precisa saber essas coisas lá na fazenda.

então como vocês sabem que horas são?

a gente levanta quando tá claro, vai pra cama quando tá escuro. os animais não usam relógio e tão muito bem assim.

entendo. e quando vocês comem?

quando a barriga ronca tão alto que a gente tem que comer. ou quando a mamãe chama a gente e diz que a comida tá na mesa.

a patroa riu.

a dona tá rindo de mim?, eu perguntei.

não. só gosto do jeito que você fala.

é bom saber porque eu não vou mudar.

você não parece mesmo o tipo de garota que vai mudar um dia.

acho que é bom a senhora me entender em alguma coisa, eu falei, e peguei a bandeja com um bule e uma xícara.

isso aqui parece que eu tenho que levar pra cozinha, eu falei.

obrigada. espero que você fique bem aqui, mary.

eu vou sobreviver.

quantos anos você tem?

quatorze. quase quinze.

que dia você faz aniversário?

no fim do verão. a mamãe tava no pasto e eles dizem que ela tava suando. foi quando a cevada tava pronta pra colher.

é assim que você diz a data do seu aniversário?

eu só sei assim. vou levar a bandeja embora.

sim. pode ir.

eu saí da sala de visita e andei pelo corredor de pedra e tentei achar o caminho de volta pra cozinha. só que entrei na porta errada e entrei numa outra sala que tinha paredes com madeira nelas e uma mesa grande com couro em cima. o seu graham estava sentado na mesa. ele estava com uma caneta numa das mãos e fumava um cachimbo com a outra.

olá, mary, ele falou. você está perdida?

acho que sim.

a cozinha é para lá, na porta depois da escada. para a direita.

certo, eu falei, e fui mas virei de volta pra ele. seu graham?

sim.

o senhor vai me dar comida ou eu tenho que arranjar por aí?

ele riu. claro que vamos lhe dar comida. aqui você tem barba, cabelo e bigode.

eu fiquei olhando pra ele.

eu quis dizer, ele falou, que você tem todas as refeições e uma cama.

o senhor não vai me fazer comer naquela mesa da outra sala, né?

não, ele respondeu. você vai comer com a edna, na cozinha. e lembre sempre que a cozinha fica depois da escada. na última porta.

pra direita.

sim. para a direita.

naquele dia eu estava andando pelo corredor de pedra e tinha alguém mais lá que vinha andando pra perto de mim.

oi, ele falou. olha só quem temos aqui, heim?

eu.

ele riu. eu sei que é você.

eu sei quem você é, eu falei.

e sabia mesmo.

eu sabia que uma das garotas ia vir, o ralph falou, só não sabia qual.

agora você sabe.

eu tentei passar por ele mas ele botou um braço na minha frente.

já vai tão rápido?

eu tenho coisa pra fazer.

não tem.

eu apontei pra escada lá em cima. olha, eu falei. o que que tem lá em cima?

ele olhou pra cima e eu passei debaixo do braço dele e corri pelo corredor até chegar na cozinha. e diminuí o passo quando cheguei na porta.

edna, eu falei, quer que eu ajude?

logo depois o ralph chegou na porta da cozinha mas tudo o que ele viu foi eu ajudando a edna a cobrir as tortas.

naquele dia de tarde estava calor e eu saí pela porta de trás pra ir no jardim e sentei. não dá pra dizer que eu estava feliz porque tudo que eu pensava era na fazenda e na tarde dum dia antes. e na gente junto. trabalhando no quintal. mas eu não sou desse tipo que senta e fica choramingando. então eu levantei e andei até o fim do jardim. olhei pra uma caixa cheia de fruta e peguei um morango e comi e fiquei olhando as plantas que estavam todas elas em fila. tinha feijão e ervilha e uma coisa que chamavam de forcado e tinham deixado lá no chão e tinha também uma varanda cheia com um monte de vasos e tinas com terra. lá ficava uma casa feita de vidro com coisas crescendo dentro.

e eu sentei na grama e ela não estava fria.

e os pássaros estavam calmos nas árvores.

e eu estava cansada porque eu não tinha conseguido dormir na noite dum dia antes quando eu estava na minha casa.

e escurecia devagar.

e eu levantei e entrei dentro da casa e fui na cozinha pegar uma vela e então andei pelo corredor de pedra e subi a escada e subi a outra escada até chegar no quarto debaixo de onde o telhado se inclinava.

a janela estava coberta com um pano branco de algodão e eu coloquei a minha vela em cima da caixa do lado da cama e tirei a minha saia e entrei na coberta. só que a cama estava vazia.

eu nunca tinha imaginado que ia querer que a beatrice estivesse do meu lado na cama.

mesmo que ela ficasse agarrada com a bíblia dela.

eu nunca tinha deitado numa cama inteira só pra mim.

e a cama era pequena e dura. e o tempo todo parecia que eu ia cair de cima dela.

eu fiquei deitada sem me mexer.

a edna entrou no quarto um pouco depois de mim e botou a vela que estava carregando em cima da caixa.

aí tinha duas velas e então cada coisa tinha duas sombras e a edna não falou nada mas tirou a saia e depois o resto da roupa e ficou ali parada coberta só com própria pele de costas pra mim. ela era uma mulher larga e parecia uma maçã e então ela botou um vestido branco e foi pra cama dela.

eu e a edna ficamos deitadas até que ela levantou e assoprou a vela que tinha levado e depois assoprou a minha e o quarto ficou todo escuro. era verão mas mesmo assim a cama estava fria.

e a edna começou a bufar e depois a respiração foi acalmando e aí ela entrou num sono pesado. eu sabia que ela estava dormindo.

e eu tentei dormir também e eu estava cansada. mas a minha cabeça não parava e eu fiquei deitada lá mas não dormi.

eu saí da cama e afastei o pano branco da janela pro lado e olhei lá pra fora.

a lua estava magra.

eu voltei pra cama e deitei de costas e cruzei as mãos em cima do meu peito. comecei a pensar no cemitério da igreja que fica perto dali e pensei nas covas e em todo mundo que estava debaixo delas e na gente que devia estar com as mãos cruzadas em cima do peito que nem eu.

e pensei que se a gente está numa cova a terra deve encher o nosso nariz e a nossa boca.

eu me sentei.

eu fiquei quieta pra edna não acordar.

e saí do quarto e desci uma escada e depois a outra escada. o piso de pedra estava frio debaixo dos meus pés porque eu estava descalça e então eu entrei na cozinha e abri a porta pra fora da casa. fui no jardim e fiquei andando lá e depois passei pelo portão do cemitério da igreja e entrei.

o que você está fazendo?

a voz veio de dentro do escuro. o meu coração pulou.

sou eu, ele falou.

eu sei quem é, eu respondi. você não devia fazer uma coisa dessas. pode matar uma garota do coração.

não fui eu que resolvi aparecer do nada no escuro da noite, falou o ralph. eu só estava aqui sentado sem fazer mal para ninguém.

o que que você tá fazendo num cemitério?, eu perguntei.

eu queria uma companhia.

muito engraçado você, eu falei.

e o que que você está fazendo fora da casa a essa hora?, ele perguntou. saudade da fazenda?

não.

você já tinha ido pra longe de casa?

eu nunca fui a lugar nenhum.

então você está fugindo da gente? está querendo voltar para a fazenda no meio da noite?

eu nem penso num negócio desses, eu falei. o papai ia comer o meu fígado antes de eu conseguir entrar lá.

é bem verdade. como vão se virar lá sem você?

que nem eles se viravam antes de eu nascer.

o ralph riu. você tem a língua afiada.

eu tenho uma língua igual a de todo mundo, eu respondi. e dei língua pra ele. e ele riu mais. para de rir de mim, eu falei.

você é engraçada. então o que você veio fazer aqui?

eu não consigo dormir, eu falei.

o ralph bocejou e ficou me olhando. você é bem bonitinha, ele falou. quer dizer, tirando a perna.

para de ficar me olhando, eu falei. eu sei como você é.

eu sou bonito, ele falou. e inteligente.

mulherengo, eu falei.

mulherengo? eu? discordo.

eu vi você, eu falei. no nosso quintal de noite. com a violet.

ele riu. não viu não, ele falou.

eu vi você. no celeiro com ela.

ele balançou a cabeça. e por que cargas dágua você acha que eu ia fazer uma coisa dessas? e quem ia imaginar que uma garota da roça ia ter uma imaginação tão fértil.

não é imaginação.

ah, não. claro que não, ele falou. ele pulou do túmulo. então você realmente acha que eu ia até a fazenda para ficar dando em cima de uma garotinha de roça qualquer para quê? me casar e morar numa fazenda para sempre fazendo parto de bezerro e arando plantação? que ideia incrível.

eu sei o que eu vi, eu falei.

e eu sei onde eu estive. agora é melhor você voltar para o seu quarto e dormir um pouco. eu tenho certeza que tem bastante trabalho para você fazer amanhã.

e depois disso ele foi embora.

estava escuro naquela cama pequena.

e os meus pés estavam frios porque eu tinha saído sem botas. eu tentei dormir mas o sono não vinha. não ia chegar naquela noite.

eu pensei na beatrice e fiquei me perguntando se ela também estava com frio sozinha lá na nossa cama.

a minha cama nova parecia tão grande quanto o terceiro acre quando só tinha eu lá.

quando ficou de dia eu levantei primeiro que todo mundo e logo que os pássaros começaram a cantar e o sol estava subindo no céu e então estava ficando mais claro. botei a minha saia e desci as escadas. entrei na cozinha e a primeira coisa que eu fiz foi acender a lareira e depois eu varri e comecei a fazer o pão e misturei e amassei e botei o pão pra descansar. então eu peguei as batatas que ficavam na copa e descasquei e botei numa panela dágua e botei a chaleira no fogo pra água ferver e botei os pães nas formas e cobri pra eles crescerem mais um pouco antes de irem assar.

e depois de eu fazer isso tudo a edna desceu do quarto e parou na porta da cozinha me olhando.

eu peguei a chaleira com um pano e levei a água quente pelo corredor de pedra até o escritório do seu graham e joguei a água na bacia pra ele fazer a barba e voltei pra cozinha e a edna ainda estava parada no mesmo lugar.

você ainda não limpou a lareira da sala de visita, ela falou.

eu fiz o pão primeiro, eu falei, e preparei a água porque eu ouvi o pastor andando lá em cima. eu ia cuidar da lareira depois.

quem faz o pão sou eu, ela falou.

bem, eu fiz o pão, eu respondi. eu tinha tempo sobrando e não faz sentido ficar por aí à toa se eu posso fazer algum serviço.

aí a edna foi e me bateu tão rápido e tão forte que por um momento eu fiquei sem saber o que que tinha acontecido e achei até que tinha tropeçado em alguma coisa mas não podia ser isso porque eu estava parada.

você faz o que eu mandar, a edna falou.

eu fiz que sim.

vai cuidar da lareira e eu vou ficar olhando pra ver se você limpou a grade.

eu andei pelo corredor e entrei na sala branca e me ajoelhei na frente da lareira e comecei a limpar.

• • •

eu me sentei na mesa da cozinha e comi pão com queijo num prato de madeira. a edna sentou comigo só que nenhuma das duas estava a fim de falar e ficar amiga. então a gente não disse nada.

o relógio fazia tique-taque.

eu comi o que tinha pra comer e quando eu acabei eu falei, o que que eu faço agora? e ela falou, vai trocar a cama da patroa.

a patroa não gosta da cama dela?

o quê?, ela perguntou. não, você tem que colocar lençol limpo.

eu não sei o que é lençol.

a edna balançou a cabeça. o que que vocês colocam na cama na sua casa?

coberta, eu falei. e uma pele se fizer frio.

parece até que você cresceu num estábulo.

mas não cresci, eu respondi. eu moro numa casa.

a edna riu. você até pode chamar de casa. mas pra mim você nasceu num chiqueiro. e a sua mãe e o seu pai são dois porcos.

você pode trabalhar aqui, eu falei, e eles podem ter dito que é pra você me dizer o que fazer e por isso você até deve estar achando que pode ficar atrás de mim e puxar a minha orelha mas eu não sou obrigada a ficar ouvindo você falar essas coisas.

eu saí da cozinha e andei até onde o seu graham estava que era na sala cheia de madeira dele. bati na porta e entrei e ele estava na mesa debruçado num monte de papel e com uma caneta na mão.

ah, desculpa, eu falei.

ele olhou pra mim. tudo bem, mary. eu só estava escrevendo o meu sermão de domingo. o que foi?

eu tive que vir aqui ver o senhor, seu pastor, eu falei, porque pra mim chega e eu quero voltar pra casa. eu não gosto daqui. eu não gostei desde a hora que eu cheguei. eu não queria sair da fazenda mesmo e se o meu pai não fosse ganhar dinheiro comigo aqui eu nunca tinha vindo.

acabou?, ele perguntou.

não. sim.

ele sorriu. você fala o que vem na sua cabeça.

eu só tenho uma cabeça e tenho que falar o que vem nela, eu falei.

é, você tem. mas o resto do mundo não acha que a gente deve falar sinceramente o que pensa. por que não se senta?

eu balancei a cabeça.

por que não?

eu não gosto.

tudo bem. então o que exatamente aconteceu?, ele perguntou. eu prometi ao seu pai que eu ia cuidar de você. então se tem alguma coisa errada você pode me falar.

teve uma batida na porta. a edna botou a cabeça pra dentro da sala. desculpa, seu graham, ela falou. mary, você não tem que contar cada problema pro patrão. o seu graham é um homem ocupado.

ele não tava ocupado, eu falei. ele tava só sentado ali.

mary, a edna sibilou.

o seu graham sorriu. tudo bem, tudo bem, edna. deixa ela comigo.

ela tem muito serviço pra fazer e o senhor tá ocupado.

falei para deixar ela aqui. obrigado, edna.

a edna saiu e fechou a porta.

eu sei que aqui é diferente do que você está acostumada mas você tem que aguentar mais um pouco. você vai se acostumar.

não vou.

olha, mary, o seu graham falou. a minha mulher gosta de você. é isso que me importa.

mas eu não me importo com nenhum de vocês.

o seu graham riu. o que eu faço com você, heim?

me deixa voltar pra casa.

não, isso, não. eu preciso sair logo depois do café da manhã. então cuida bem da minha mulher hoje. tenta fazer ela comer alguma coisa. ela não está com apetite. ah, e mary...

o quê?

eu vou mandar a edna arrumar roupas novas para você.

não tem nada de errado com essa aqui.

você só tem ela, não é?

e só tenho um corpo pra vestir.

mas você podia lavar ela de vez em quando. ficar limpa, como você vai ver, é para ficar mais perto de deus. e você é uma serva de deus que nem eu. é melhor eu ir logo para não me atrasar.

aonde que o senhor vai?

ele sorriu. eu não sabia que tinha que contar para você tudo que eu faço. vou ver um fiel. feliz agora?

não.

agora dá uma chance para nós aqui e lembre-se de cuidar da minha mulher.

eu arrumei a sala branca pra quando a patroa descesse do quarto dela. acendi a lareira e ajeitei as almofadas e abri uma janela pra entrar ar na sala como a edna tinha me mostrado.

e depois eu tive que ir na cozinha e tomei cuidado pra não chegar perto da mão da edna e ela me deu um jarro dágua quente e disse que era pra mim ir no andar de cima ver a patroa porque a patroa tinha falado que era só pra mim subir. só eu e mais ninguém.

eu bati na porta e a patroa falou entre e eu entrei.

eu botei a água quente no chão e fui pra janela e tirei o pano vermelho da frente do vidro e aí eu abri o vidro que era pro ar entrar e pra patroa poder ouvir os passarinhos.

é verão, dona, eu falei. tá sol. eu arrumei a sala lá de baixo pra senhora então dá pra senhora deitar naquela coisa que a senhora fica deitada.

obrigada, mary.

e eu trouxe água quente que é pra senhora lavar a cara.

sim, estou vendo.

então a senhora vai levantar?

eu preciso que você me ajude.

e eu ajudei. ajudei ela a se lavar e depois tive que ajudar ela a se vestir também.

quando ela terminou ela deitou de novo naquelas almofadas brancas. ela estava tão pálida que parecia uma delas. eu fui pra janela e olhei lá pra fora. dava pra ver o morro atrás da minha casa e eu pensei na fazenda lá do outro lado e no dia que eu e as minhas irmãs deitamos lá em cima do morro e ficamos sonhando com tudo que a gente queria. quem diria que eu ia acabar ali naquela casa fazendo as coisas que eu tinha que fazer lá. não lembro de ter pedido isso.

no andar de baixo eu fiz a patroa sossegar. estava calor lá fora e o sol não estava pegando daquele lado da casa ainda mas mesmo assim eu acendi a lareira e fechei as janelas.

a patroa ficou me olhando o tempo todo mas não falou nada. a cabeça dela estava encostada no travesseiro e as mãos dela estavam do lado do corpo. e parecia que os braços dela eram de louça feito um cachimbo de cerâmica e quando eu terminei de fazer tudo que eu tinha que fazer eu ia ir embora da sala mas a patroa me chamou.

mary, ela falou. fica comigo.

eu tenho que ajudar a edna, dona.

diz pra edna que eu falei que quero você aqui.

tudo bem. mas eu tenho que ir pegar alguma coisa pra senhora comer.

eu não quero comer. senta aqui. ela apontou pra cadeira.

eu não gosto de sentar de dia, dona. as minhas pernas têm bastante energia pra mim não ter que sentar.

você nunca se cansa?

se eu canso eu vou dormir.

você faz tudo parecer tão simples.

e é, eu falei.

ah, se você tivesse razão. me diz uma coisa, mary, o meu marido saiu?

saiu, eu respondi. e ele falou que é pra mim cuidar da senhora e fazer a senhora comer porque ele fala que a senhora não come. ele fala que a senhora não tem apetite.

então é melhor você ir pegar alguma coisa para eu comer. e enquanto você estiver na cozinha diga para a edna que eu pedi para você ficar aqui comigo.

então eu fui e falei isso pra edna e ela foi no jardim pegar umas frutas pra fazer doce e eu peguei comida pra patroa. eu peguei pão e cortei uns pedaços de queijo. e botei eles num prato e botei o prato numa bandeja junto com uma caneca de chá e levei tudo pra sala branca. e botei tudo na mesa perto da patroa.

aqui tá a sua comida, eu falei.

a patroa olhou pro prato. pão com queijo?

é, eu falei.

é isso que vocês comem na fazenda?

a gente não come queijo no café da manhã. só pão com chá.

ah, ela falou. ela sorriu. não é isso que eu como normalmente.

bem, eu não sabia, eu respondi.

tudo bem. eu vou comer. você fez pra mim então eu vou comer.

então come.

mas não agora, ela falou. não estou com fome agora. converse comigo, mary. você me anima. conte como é a fazenda.

eu não vou falar nada até a senhora comer.

eu já disse que não estou com fome.

nem eu tô com vontade de falar.

eu cruzei os braços e fiquei ali parada. sem falar nada. e o relógio fazia tique-taque e a patroa começou a sorrir.

e se eu comer você conversa comigo?

eu fiz que sim.

ela pegou um pedaço pequeno de pão e comeu. eu cheguei mais perto. continua, eu falei. e ela comeu um pouco mais. quando ela tinha comido metade do queijo eu cheguei mais perto e fiquei do lado dela.

senta, ela falou.

e eu sentei. fiquei na ponta da cadeira porque era de manhã e eu nunca sentava de manhã. e comecei a falar.

fazenda é tudo igual, eu falei. então eu nem sei o que que é pra mim dizer. a gente tem uma casa e uns lugares onde os animais dormem e tem lama e no verão o pasto fica cheio de coisa que cresce e que a gente tem que cortar pra secar no sol.

sei que você tem irmãs.

eu tenho três.

e você nunca teve irmãos?

o papai diz que queria que tivesse mas ele não pode fazer nada. ele fala que empacou com a gente. que mesmo que uma de nós conseguisse trabalhar que nem homem não ia ser inteligente que nem um homem.

a patroa riu. você fala muito quando está em casa?

eles dizem que eu falo demais. a minha mãe diz que eu nasci falando.

como é o jeito dela? parece com o seu?

ela tá sempre fazendo alguma coisa. fazendo pão. creme de leite. queijo pra vender. ela não tem muito tempo pra falar mas ela diz que eu posso ajudar ela desde que eu não fale pelos cotovelos mas aí eu não consigo parar de falar e então ela tem que aturar. só que não sou só eu que falo o tempo todo porque o pai do meu pai mora com a gente. e o meu vô também gosta de falar e dizem que eu puxei isso dele.

como ele é?

normal. ele dorme no andar de baixo porque as pernas dele não mexem. e eu vou lá ver ele porque ele não consegue se locomover muito e então ele fica bastante sozinho.

dá pra dizer que você gosta dele só de ouvir a sua voz.

eu não consigo esconder nada na minha voz, dona. pelo menos assim dá pra senhora ficar sabendo o que eu acho da senhora. não pensa que eu ia conseguir mentir se mandassem.

essa é uma boa qualidade.

depende se a senhora quer ouvir o que eu tenho pra dizer.

quero, sim.

eu arrumo muito problema sendo desse jeito que eu sou.

ah, é?

é. a senhora sabe mentir?

eu fiquei esperando ela falar alguma coisa mas ela não falou. eu ia começar a falar mais mas ela ficou calada. a pele dela era branca e os olhos pareciam de vidro. a senhora tá bem?, eu perguntei.

estou com um pouco de calor. pode abrir as portas?

eu fui até as portas grandes que dão pro jardim e destranquei elas e depois abri. começou a entrar um ar fresco e eu fiquei lá um pouco olhando pra grama e pra mesa em cima dela. dava pra ouvir os pássaros.

eu sabia que horas eram apesar de nunca ter sabido ver as horas num relógio. deviam ter acabado de tirar o leite das vacas. agora todos deviam estar em casa de novo. o meu vô devia estar tomando o café da manhã dele. se tivessem lembrado de tirar ele do quarto das maçãs.

mary?

sim.

você pode escovar o meu cabelo? mas você precisa ir devagar. a minha cabeça é sensível.

eu parei atrás da patroa e comecei a escovar. assim tá bom?

perfeito.

ela sorria enquanto eu escovava o cabelo dela e acho que ela estava até pegando no sono. não pare, ela falou. você escova tão bem.

eu botei a escova em cima da mesa. só continuo, eu falei, se a senhora comer mais um pouco.

a patroa riu. está bem. só um pouquinho.

ela pegou uma fatia de queijo e levantou e eu fiquei olhando tudo. aí ela botou a fatia na boca e comeu. satisfeita agora?

mais do que antes, eu respondi.

ela riu. as garotas que nascem em fazenda são todas tão astutas?, ela perguntou.

eu não sei o que que é isso, dona.

• • •

estava na hora de fazer comida e a edna me mandou sair pra pegar alguns legumes. o homem que estava no jardim parou de trabalhar e ficou me olhando chegar perto dele.

você que é o harry?, eu perguntei.

ele fez que sim mas não disse nada.

a edna me mandou pegar batata e feijão, eu falei.

ele ficou me olhando.

você é surdo?, eu perguntei.

ele me deu as costas e foi embora e depois voltou com uma pá que ele enfiou no chão pra tirar um pouco de terra e as batatas apareceram. eu me abaixei e peguei.

elas tão verdes, eu falei. e os feijões também.

ele continuou sem dizer nada.

você cuida do cavalo e do jardim. a edna falou que você faz tudo por aqui.

eu peguei a última batata e me levantei. que bom que eu vim aqui fora, eu falei. faz bem bater um bom papo às vezes. andei até onde ficavam os feijões e procurei os grãos mais grandes. o homem me deu uma cesta e eu comecei a colher.

não pega todos, ele falou.

eu não vou pegar, eu respondi.

os maduros são só pro pastor e a mulher dele.

sério?, eu disse. que surpresa. achei que os maduros eram pra mim. pensei que você tivesse plantado especialmente pra mim quando soube que eu vinha morar aqui.

• • •

naquele dia de noite eu subi as escadas e fui pra cama do quarto debaixo do telhado. fiquei deitada lá por um tempo e a edna chegou.

ela também foi pra cama mas não apagou a vela. ficou deitada e depois levantou. ela puxou uma caixa que ficava escondida debaixo da cama. e levantou a caixa e botou em cima do colchão. abriu a caixa e me chamou. vem ver o que tem aqui, ela falou. vem ver o que eu tenho.

a edna tirou a tampa da caixa e lá dentro tinha um cobertor em cima das coisas todas. ela tirou o cobertor e botou ele na cadeira. então começou a tirar as coisas todas que tinha na caixa. uma de cada vez. desdobrava elas e segurava pra mim ver. eu que fiz, ela falou.

ela me deu uma pra segurar.

o que que é isso?, eu perguntei.

uma mortalha, ela respondeu. é pra gente ser enterrado nela.

ela levantou uma por uma. todas elas tinham umas pequenas cruzes bordadas. com um ponto perfeito.

essa aqui é pra mim, a edna falou. e essa é pro meu marido. só que eu não tenho um. e essa é pro meu filho se eu tiver um e se ele morrer.

ela levantou a última. tinha o tamanho dum bebê e depois ela esticou todas em cima da cama.

eu tinha outra desse tamanho, ela falou. só que eu usei.

ela enfiou a mão na caixa e tirou de lá um papel dobrado. e desdobrou e tinha um pedaço de cabelo nele. um cacho. e quando a edna levantou perto da vela eu vi que era loiro.

eu tive um bebê, ela falou. só que eu tava sozinha quando ele nasceu e o cordão enrolou no pescoço dele. e ele não conseguiu respirar.

ela dobrou o papel de novo e enfiou de volta na caixa.

depois que ele morreu, ela continuou, me mandaram pra cá pra trabalhar. e eu fiquei aqui desde então.

onde você morava antes?, eu perguntei.

seguindo pra lá uns três quilômetros e meio. não vou lá visitar, ela falou.

quantos anos você tem?, eu perguntei.

trinta e dois.

você já tá aqui tem muitos anos.

é, ela falou. dobrou as mortalhas e botou de volta na caixa e depois botou o cobertor em cima e tampou a caixa e escondeu debaixo da cama.

aqui eu sinto frio, ela falou. e me sinto sozinha.

a edna segurou o meu braço. a mão dela ficou parada ali um pouco e depois se afastou.

eu nunca quis bater em você.

tudo bem.

eu fiquei com medo deles gostarem mais de você que de mim.

não importa, eu falei.

importa, sim. eu devia ficar contente por ter companhia.

ela deitou na cama dela e eu deitei na minha e a gente não se mexeu e eu não falei nada e ela não falou nada e então ela começou a chorar e eu ouvi e enfiei a cabeça debaixo do meu travesseiro.

uma mulher chamou na porta e a edna me mandou falar com o seu graham porque a mulher estava procurando pelo pastor. eu fui na sala de jantar onde ele estava sentado terminando de tomar o café da manhã. ele estava lá sentado com um terno de lã marrom e tinha um caderno e estava escrevendo nele e fazendo alguns desenhos.

o que que o senhor tá desenhando?, eu perguntei.

pássaros.

ah.

eu gosto de estudar os pássaros. ver como eles fazem ninho e ouvir como eles cantam.

por quê?

ele me olhou. porque eu acho interessante.

ah.

ele botou o garfo e a faca dentro do prato.

o senhor come muito, eu falei. que nem o nosso porco de manhã.

ele sorriu. mary, ele falou, deixa eu lhe dar um conselho. não compara o seu patrão com um porco.

ah, eu falei. eu não queria ser grossa. a gente gosta do nosso porco.

mesmo assim. na hierarquia da vida o seu patrão devia estar acima do porco.

ele limpou a boca com um guardanapo.

humanos e animais, ele falou. são bem diferentes.

eu não vejo muita diferença, eu respondi. tem coisas que a gente faz igual.

ele levantou a mão. chega, ele falou. não acho que a gente deve continuar essa conversa.

tá, eu falei. mas tem outra coisa, senhor.

o quê?

eu me lembrei por que que eu vim aqui. a edna falou pra falar com o senhor que tem uma mulher querendo ver o senhor, eu falei.

tem sempre alguém querendo me ver, ele falou. diz à edna para mostrar a ela onde fica o meu escritório.

a edna já mostrou. a mulher tá lá.

ótimo. bem, ela me espera.

ele ficou me olhando enquanto eu tirava os pratos e as facas que ele tinha usado e botava na bandeja pra levar pra cozinha.

você não parece *in*feliz, ele falou.

ah, eu respondi, mas o senhor não disse que eu pareço feliz.

talvez. mas você está indo muito bem aqui. a minha mulher está comendo e parece bem mais feliz. a edna parece ter sossegado e fala que você está mesmo ajudando. isso tudo quer dizer que eu posso me dedicar ao meu trabalho e me concentrar na igreja e nos fiéis. ele coçou o queixo e fechou o caderno.

tem alguma coisa que a gente possa fazer, ele perguntou, pra você ser mais feliz aqui?

não.

tem que ter alguma coisa. não fica com medo de pedir.

eu não tenho medo de nada, eu falei.

mas tem alguma coisa que você precisa?

eu tenho comida e bebida. eu tenho uma cama e roupa limpa.

mas eu aposto que você ia gostar de ver a sua família.

por que o senhor tá perguntando coisas que já sabe a resposta?

ele riu. você tem uma língua afiada.

facas são afiadas, eu respondi.

se a gente afiasse elas na sua língua iam ficar mais. dá para perceber por que a minha mulher gosta de você. olha, eu e ela conversamos. a gente acha que você deveria tirar a manhã de folga. vai, volta para a fazenda. vai lhe fazer bem.

eu posso ir pra casa? eu comecei a tirar o meu avental.

calma. você pode mas só quando terminar de limpar, e só durante a manhã. você tem que voltar depois do almoço.

eu volto, eu falei.

manda a edna levar chá para a mulher no meu escritório. e lembrança para o seu pai.

eu mando.

• • •

a minha mão está doendo e então eu paro.

e olho pra fora da janela.

está chovendo enquanto eu escrevo. a água desce pelo vidro e a neblina não me deixa ver o fim do campo.

eu tenho que parar pra passar o mata-borrão nas páginas.

eu balanço a mão porque ela dói. eu estou escrevendo muito rápido.

o meu cabelo é da cor do leite.

eu sou a mary.

m. a. r. y.

o sol estava quente naquele dia quando eu subi o morro e desci do outro lado. o quintal estava vazio e eu entrei na casa pela varanda e passei pelos baldes de leite e pelos latões de leite e pelos tabletes de manteiga. eu entrei na cozinha que estava vazia. andei até o quarto do meu vô mas ele não estava lá também.

então eu fui no quarto das maçãs e abri a porta. tinha umas pilhas grandes de caixa e tinha a cama entre elas e na cama estava ele.

ele deve ter me ouvido entrar porque estava sorrindo. olha só quem tá aqui, ele falou. que foda, eu não esperava ver você hoje.

oi, vô.

o que que você tá fazendo aqui?

eles me deixaram vir visitar vocês.

eu sentei numa caixa do lado da cama. ele parecia magro e estava com a cara mais funda.

o que que o senhor ainda tá fazendo na cama?, eu perguntei.

eles foram todos pro décimo acre. tá todo mundo lá.

então por que o senhor ainda tá deitado?

eles tão ocupados. muito trabalho pra fazer.

podiam ter tirado o senhor da cama antes de ir.

não faz tempestade em copo dágua.

eu não tô fazendo. vem.

peguei debaixo dos braços dele e levantei. tirei ele do quarto das maçãs e levei pro outro quarto e botei ele na cadeira.

o senhor precisa dum banho, eu falei.

me deram um ontem.

ontem?, parece que faz um ano. o senhor tá fedendo.

eu fui e peguei água da chaleira porque ainda estava quente e peguei um pano e limpei o meu vô e peguei a outra cueca dele e uma calça e uma camisa e vesti tudo nele.

o senhor comeu?, eu perguntei.

comi ontem.

as suas tripas não lembram de ontem.

eu fui e peguei pão e uns pedaços de maçã pra ele. e fiz um pouco de chá.

eu sentei perto dele e olhei ele comendo. ele enfiava o pão no chá e chupava a casca.

como são as coisas lá?, ele perguntou. eles tratam você bem?

não importa.

você ia se importar se eles tratassem você mal.

é, acho que ia.

ah, vai. fala de lá.

não sei, eu respondi. não é que nem aqui. eles são exagerados e fazem tudo dum jeito chique.

são muito chiques pra você.

eu me levantei e fui na janela. e olhei lá pra fora pro pasto. cadê a vaca?

por aí.

não dá pra ver ela.

mary, ele chamou.

o que foi?

as coisas aqui não mudaram porque você foi embora.

eu me virei pra olhar pra ele. eu quero voltar pra casa.

você não tá perdendo nada.

tô sim.

o quê?

o senhor.

filha da puta sacana.

eu sei. não consigo deixar de ser assim.

eu olhei lá pra fora de novo.

o papai tá lá fora?, eu perguntei.

tá.

então ele ainda tá vivo?

tá.

merda.

o meu vô começou a rir. você é má. você é muito má.

• • •

estavam todos lá. o papai. a mamãe. a violet. a beatrice. a hope. dava pra ver eles, bem lá no fim do décimo acre e então eu andei na beira da plantação pra não pisar na colheita. eles estavam trabalhando juntos em fila mas não pareciam carregar enxadas.

eu cheguei mais perto e consegui ver que eles estavam arrancando a cerca de espinheiro negro que dividia o décimo acre do quinto.

o papai se virou e ficou me olhando enquanto eu chegava perto.

o que que você fez de errado?, ele perguntou.

eu não fiz nada, respondi. ele me deixou vir aqui de manhã.

pra quê?

pra ver vocês.

a violet estava me encarando. olha só pra você, ela falou. nem parece você.

mas sou eu, eu falei.

o seu vestido, a beatrice falou. é novo?

eu fiz que sim.

por que você tá usando esse cabelo?, ela perguntou.

eu botei a mão no cabelo. tenho que usar assim pra poder trabalhar lá.

essas botas são novas?, a mamãe perguntou.

são.

eu não tenho nada disso, a hope falou.

você tá bem lá?, a mamãe perguntou.

claro que ela tá, o papai respondeu. você tá trabalhando duro?

eu tô. eles dizem que tão satisfeitos.

acho bom, ele disse.

isso não tá certo, a hope falou. olha só pra ela com essas botas.

o papai deu um tapa na orelha da hope e ela berrou. volta pro trabalho, ele mandou. não é hora de você ficar aí parada olhando.

a hope pegou a pá e começou a cavar.

o que que vocês tão fazendo?, eu perguntei.

arrancando a cerca, a mamãe respondeu.

por que vocês querem arrancar a cerca?

pra ter mais espaço pra gente plantar, o papai falou. dá mais dinheiro. quero comprar a máquina que separa os grãos esse ano.

eu achei que o senhor odiasse máquinas, eu falei.

eu odeio.

então por que quer comprar uma?

porque é rápida. mais rápida que se eu tivesse filhos homens que fizessem o trabalho. e tempo é dinheiro.

enquanto o senhor tava ocupado fazendo dinheiro, eu falei, o meu vô ainda tava na cama.

ninguém disse nada e ficou o maior silêncio por um tempo. a gente esperou o papai explodir.

então, ele falou com uma voz dura feito a pá que ele estava segurando, você voltou pra ensinar como é que a gente tem que fazer as coisas?

ela não tá ensinando, a mamãe disse.

eu não sou burro, o papai respondeu.

de qualquer forma a beatrice levou chá pra ele, a mamãe falou.

não levei não.

então quem levou?

fui eu, eu falei. eu levei chá pra ele e pão. eu limpei ele. troquei a roupa dele. vocês nem tiraram ele da cama.

o papai avançou em mim e me acertou na cabeça. chega, ele falou. continua assim e você nunca mais vai voltar pra cá.

no meu quarto nada tinha mudado. a bíblia estava no chão do lado que a beatrice dormia e a coberta continuava na janela.

eu deitei na cama e senti que ela ainda tinha o formato do meu corpo.

era como se eu nunca tivesse ido embora.

como se nada tivesse acontecido.

eu andei pelo pasto e achei a vaca que eu não tinha visto porque ela estava escondida atrás da cerca e fiz um carinho e peguei um balde e o banco e sentei do lado dela. e me encostei bem nela e senti o cheiro dela e tirei um pouco de leite. então a violet chegou.

ela apontou pro balde. a gente já tirou o leite.

eu sei. e eu sei que já passou a hora de tirar o leite.

então o que que você tá fazendo?

nada. eu parei e a vaca foi embora.

a gente não falou nada por um tempo e então a violet falou, você já viu o ralph por lá? lá naquela casa?

claro que já, eu respondi. ele mora lá. por que que você tá perguntando?

por nada, ela falou. só tava pensando.

você quer que eu mande algum recado pra ele?

por que eu ia querer isso? claro que não. coisa idiota de pensar.

ela chutou o balde e o pouquinho de leite que eu tinha tirado se espalhou pela grama e sumiu no chão.

a violet foi embora.

eu fiquei ali um pouco mas o sol estava andando no céu e a minha barriga estava começando a roncar. eu sabia que era hora de voltar. fui no quarto ver o meu vô e falar pra ele que eu estava indo embora.

volta pra cá assim que puder, ele falou.

eu volto.

faz eles cuidarem bem de você. fala que se eles não cuidarem vão ter que se ver comigo. um velho que não anda. ele riu. vai indo lá, ele falou.

eu saí do quarto e dei adeus pra mamãe e pras minhas irmãs porque elas tinham entrado dentro de casa pra comer alguma coisa. estavam sentadas comendo pão com queijo na sombra da porta da varanda. e então eu atravessei o jardim e voltei pra alameda. eu sentia que elas me olhavam mas virei numa curva. elas não podiam mais me ver.

• • •

eu estava lustrando a sala de jantar quando o ralph chegou e ficou na porta.

o que que você quer?, eu perguntei.

você é empregada e eu moro aqui. eu tenho mesmo que dizer pra você o que que eu quero?

eu sei que você tá querendo alguma coisa. todo mundo sempre tá querendo alguma coisa.

ah, é? ele entrou na sala e se encostou no armário de guardar louça. as suas botas tão cheias de lama, ele falou. e são novas.

botas ficam sujas de lama.

como está a fazenda?

no lugar.

e como é que eles estão se virando lá sem você? as vacas já morreram todas? a plantação já murchou? o leite já coalhou?

não.

a sua família ficou feliz em te ver?

eu encarei ele. o que que você quer?

você voltou tarde, ele respondeu. era pra ter voltado na hora do almoço.

não tô nem aí.

você é muito rebelde.

ah, sou?

o que que você ficou fazendo lá?

coisas de fazenda.

você se explica tão bem.

eu abri a lata de cera. eu tenho um recado pra você, eu falei.

pra mim?

é pra você, eu falei. da violet. ela mandou oi.

por que que ela ia fazer isso?

sei lá, eu falei. por que você não sai daqui e vai pensar num motivo? talvez você ache um.

muito engraçado.

ele ficou me olhando botar a cera no tampo da mesa e esfregar.

fala comigo, garota da fazenda.

eu não sou mais da fazenda, eu falei.

agora você é garota dessa casa.

é o que eu sou agora, não é?

é. olha só você.

eu não mudei nada. não importa o que eu visto. não importa como eu uso o meu cabelo. eu não mudei nada então não fica pensando que eu mudei.

ah, você não ficou cheia de nove horas? então a gente não tá transformando você?

não.

eu comecei a encerar o armário de guardar louça e empurrei o ralph pra longe dele que era onde o ralph estava encostado.

você cuidou da sua mãe enquanto eu fiquei fora?, eu perguntei. ela comeu?

não faço a mínima ideia.

você não se importa?

não.

que coisa horrível.

não foi você que teve que conviver com isso por todos esses anos, ele falou. a minha vida inteira eu escuto que ela tá doente.

é porque ela tá doente.

ela não ia nem ter do que falar se estivesse bem.

ela é muito branca.

tinha que ser. não sai de casa faz anos.

ela respira difícil.

você está começando a falar que nem um médico.

dá pra dizer que ela não tá bem.

e como você chegou a esse diagnóstico?

eu cuidei de bicho a vida toda. eu sei quando um deles não tá bem.

e você já contou pra ela que se preocupa com ela do mesmo jeito que se preocupa com uma vaca? quem sabe eu não devo dizer isso pra ela? ela ia ficar bem contente.

não. você não deve não.

ele riu. eu vou.

nem pensa. se você fizer isso eu conto pra sua mãe que você foi na fazenda pra ver a violet.

ah, conta?

conto.

não dou a mínima se você conta ou não. isso não me preocupa nem um pouco. na verdade o meu objetivo é nunca me preocupar com nada. a vida pode ser de trabalho ou de prazer. eu escolho o último.

ah, é?

é. ele apontou pra mesa. você não devia estar encerando isso aí?

eu joguei o pano em cima dele. ele pegou. a mão dele era rápida feito uma cobra. e por que que você não encera então?, eu perguntei.

ele jogou o pano de volta. já falei. nada de trabalho. só prazer.

a patroa estava dormindo na sala branca. eu botei um cobertor em cima das pernas dela e fechei a janela. saí e fechei a porta com cuidado pra não fazer barulho. o ralph estava no andar de cima no quarto dele e o pastor tinha saído. olhei na cozinha mas a edna estava dormindo na cadeira perto do fogo que ela tinha deixado apagar porque estava calor lá fora. então fui no meu quarto debaixo do telhado e tirei o avental e o vestido e botei o meu vestido velho lá da fazenda que estava na gaveta e o meu avental velho e achei as minhas botas velhas e coloquei elas também e eu nem me importei que elas podiam deixar pó de lama seca onde eu andava com elas na casa. e eu desci as escadas em silêncio e saí e fui pra alameda. e subi o morro.

lá de cima dava pra ver a casa e o quintal e os campos e os rolos de feno esperando pra ser empilhados.

o porco estava deitado na sombra das árvores.

as vacas estavam paradas na grama.

eu não tinha planejado nada mas quando eu vi aquilo comecei a descer.

eu tinha que descer.

desci a alameda toda e entrei no quintal e estavam tirando o leite. e então eu vi o papai. e então ele me viu.

o que que você tá fazendo aqui?, ele perguntou.

eu voltei, eu respondi.

quem foi que disse que você pode voltar?

eu.

ele balançou a cabeça. acontece que você não pode.

eu não consigo mais ficar lá. eu quero voltar pra casa.

você não pode voltar.

ele me pegou pelo braço e começou a me puxar pra fora do quintal. eu gritei e as minhas três irmãs estavam sentadas nos seus banquinhos e me olharam mas nenhuma delas fez nada. e a mamãe chegou na porta da varanda e ficou olhando mas não fez nada também.

o papai me puxou pela alameda e passou pelas casas e pela igreja. e me puxou pra dentro do presbitério.

a porta de trás estava aberta e ele viu a edna na cozinha acendendo a lareira.

onde tá o seu graham?

a edna me viu. eu vou chamar.

a gente esperou do lado de fora da porta de trás no sol e a mão do meu pai apertava o meu braço e doía.

o seu graham apareceu. algum problema?

ela voltou lá pra casa mas eu falei pra ela que é pra ela ficar aqui. eu falei que é pra ela sossegar e ficar aqui sem reclamar.

o seu graham balançou a cabeça. mary? você fugiu? mas eu deixei você voltar lá pra visitar hoje de manhã.

eu não respondi. e o papai me bateu com o cotovelo.

você não tá feliz aqui?, o seu graham perguntou.

não respondi.

estamos cuidando bem dela, não é, mary? ela só tem um gênio forte. é um pouco teimosa.

um pouco?, o papai disse.

vou cuidar pra ela não fazer isso de novo, o seu graham falou.

o senhor faça isso ou eu vou pegar ela e acabar com ela.

não vai ser preciso. o seu graham me pegou pelo braço e me levou pra longe do papai. vem, mary, ele falou. a edna está precisando de uma ajuda.

ele me enfiou na cozinha e eu escutei que ele e o papai conversavam na porta de trás sobre como não estava tendo chuva pra molhar a plantação e o leite que estava pouco e então o papai foi embora e eu ouvi a porta fechando e o seu graham entrando dentro da cozinha.

mary? o que foi isso?

eu balancei os ombros.

faz um chá para mim.

então eu fiz o chá pra ele e levei na sala de madeira. e botei em cima da mesa.

obrigado. senta aqui.

eu sentei na ponta da cadeira que nem uma galinha no ninho quando está querendo voar.

eu queria agradecer, ele falou.

porque eu fugi?

não. por ser tão boa com a minha mulher. eu sei que você não está satisfeita aqui mas você está indo muito bem. e eu prometo que vão ter outras chances de você ir ver a sua casa que nem hoje. mas você trabalha aqui agora. está entendendo? mary?

tô entendendo.

ótimo. então você promete que não vai mais fugir?

eu prometo. eu não tenho escolha mesmo, né?

eu acho que você não precisa colocar desse jeito. acho que o melhor é você sossegar e se acostumar com a rotina. você vai se acostumar com as coisas aqui e antes de perceber já vai estar chamando esta casa de sua.

outono

esse é o meu livro e eu estou escrevendo ele com as minhas próprias mãos.

é o ano do senhor de mil oitocentos e trinta e um.

lá fora o sol está fraco e os pássaros estão em silêncio.

escrever leva muito tempo. cada palavra tem que ser escrita e depois soletrada. e quando eu termino tenho que reler tudo pra ver se escolhi as palavras certas.

e tem dias que eu tenho que parar. pensar no que é que eu tenho pra dizer e no que é que eu quero dizer e também por que eu estou dizendo isso.

e leva mais tempo pra mim escrever sobre uma coisa que aconteceu do que ela levou pra acontecer.

mas eu tenho que escrever rápido porque eu não tenho muito tempo.

a grama cresceu e ficou amarela. as sombras ficaram mais grandes. as cercas ficaram cheias de frutas e as maçãs balançavam nas árvores.

e quando eu saía o ar estava diferente porque estava fresco e novo e depois do sol ir embora dava até pra sentir frio.

de manhã e de tarde o nevoeiro caía e fazia os morros sumirem e o ar ficava pesado.

e a edna encheu a cozinha com jarras e panelas. e a gente ficou ocupada com as frutas pra colocar elas nas jarras. e o harry desenterrou as beterrabas e as cenouras e as cebolas e levou elas pra gente na porta de trás e a gente colocou elas em caixas com areia e depois guardou no lugar gelado que guardam comida e a gente deixou as maçãs num lugar escuro. e o harry ensacou as batatas e a gente olhou pra ver se os sacos estavam amarrados que era pra não entrar luz.

tinha muita coisa pra fazer mas o tempo todo que eu estava trabalhando eu ficava pensando neles lá na fazenda e na colheita do pasto e nas maçãs e peras que eles tinham que catar e que aquela era a época que todas as horas do dia enquanto tinha luz a gente gastava levando as maçãs e as peras que a gente catava pra dentro de casa porque se a gente não fizesse isso ia sofrer no inverno e os animais iam morrer de fome e a gente ia morrer de fome.

chegou a hora de fazer geleia e a edna me mandou ir lá fora pegar mais umas frutas no alto do jardim.

o harry estava perto da lareira de fora e ele estava fumando cachimbo. ele ficou me olhando enquanto eu andava pra perto dele e eu estava carregando uma panela bem grande.

você parece feliz, eu falei.

ele me encarou.

eu disse que você parece feliz. deve ser por me ver.

o que que você quer?

eu sorri. eu quero ameixa e framboesa.

tô fumando.

eu sei, eu falei. dá pra ver.

então você que espere.

e eu esperei enquanto ele fumava e o fumo se misturou com o cheiro da lareira e o ar de outono. e eu fiquei ouvindo a madeira estalar e as línguas de fogo. e as folhas úmidas faziam uma fumaça grossa e eu ouvia o harry dar uns tragos fundos e o cabo do cachimbo bater nos dentes dele.

e então ele acabou e andou pra longe até uma caixa que ele tinha colocado no chão e levantou ela e jogou as ameixas na minha panela e quando estava cheia ele parou de jogar e algumas ameixas caíram na grama e eu abaixei pra pegar.

sabe duma coisa?, eu falei.

o quê?

a gente só vive uma vez. a gente logo vai morrer e quando olhar pra trás vai perceber a vida miserável que a gente teve e não precisa ser assim.

eu achei que ele ia falar alguma coisa mas não falou. ele só ficou me olhando e tragando no cachimbo e então eu dei as costas e fui voltando pra cozinha levando pra dentro as ameixas. e elas estavam brilhando tão roxas que eram quase pretas. como uma ferida aberta.

naquele dia de noite eu fui ver o seu graham e a patroa e eu me sentei perto dos pés dela. e fiquei esfregando lanolina neles. lanolina vem das ovelhas. eu estava passando nos pés dela porque a pele dela fica ressecada.

olhe só pras suas mãos, ela falou. olha pra cor delas.

eu levantei as minhas mãos. a minha pele estava marrom na palma e nos dedos.

é por causa das nozes, eu respondi. foi porque eu fiquei descascando e botando elas pra secar a tarde toda. vai passar, eu falei.

imagino que vai.

eu continuei esfregando e ela deu um suspiro alto.

o que foi?

as noites estão ficando longas, ela respondeu.

eu olhei pra janela. estava tudo escuro lá fora e o vidro parecia um espelho. dava pra ver a sala toda nele.

eu parei de esfregar os pés dela.

não pare, ela falou.

eu tenho que ir ver a lareira, eu falei.

a patroa ficou me olhando enquanto eu fechava as cortinas. e depois eu remexi a lenha da lareira. algumas toras caíram e levantaram pó. e eu varri a poeira e joguei mais uma tora no fogo.

eu não sei o que você fazia antes de vir para cá, a patroa falou.

eu acho que dá pra imaginar.

eu não acho que éramos tão felizes antes de você vir para cá.

o fogo aumentou e eu botei mais uma tora e depois mais uma e fiquei ali ajoelhada olhando pra lareira.

mary, a patroa falou.

o que foi?

meu pai não era um homem bom, ela falou.

eu me virei e olhei pra ela.

ele não tinha nenhuma bondade, sabe? eu acho que eu ficava o tempo todo com medo dele. e acho que é por isso que eu fiquei feliz quando me casei.

talvez os pais achem que tem que ser desse jeito, eu falei.

talvez. é, talvez.

eu olhei pro fogo que pegava nas toras de lenha e escurecia a madeira e que era mais clara nas fendas.

meu pai tinha um emprego na áfrica, ela falou, e eu nasci lá. a minha mãe voltou para cá quando eu estava com idade para ir à escola. o meu pai disse que eu não precisava de estudo mas a minha mãe queria que eu tivesse. ela dizia que eu era inteligente.

e a senhora foi pra escola?

ela riu. não, escola, não, ela falou. eu tinha uma governanta que me ensinava. aí meu pai voltou logo depois para ficar conosco na aldeia. e foi assim que eu conheci o meu marido. o pai dele era pastor. o meu marido era bom para mim quando éramos jovens. às vezes, precisamos somente de um pouquinho de bondade.

eu voltei a olhar pro fogo e joguei mais duas toras nele e então me sentei de novo perto dela. e peguei o pé dela. e comecei a esfregar.

isso é bom, ela falou.

ela ficou me olhando esfregar por um tempo sem dizer nada e depois ela falou.

a pele do meu pai estava sempre fria quando eu encostava nele, ela falou, mas eu não tocava muito nele. ele queria filhos homens, sabe?

que nem o meu.

é. ela sorriu. que nem o seu. eu fui filha única, ela falou, e mulher. acho que não dava para ser mais decepcionante.

o meu pai só quer quem trabalhe pra ele, eu falei. ele precisa de mais braços pra tirar leite e colher as plantas e arar o pasto.

e ele faz vocês fazerem tudo isso?

eu ri. a gente não tem escolha, dona. é assim que é.

o trabalho lá é mais pesado do que aqui?

bem mais pesado. no primeiro dia que eu cheguei aqui eu fiquei procurando serviço porque eu não tava acostumada a ficar do jeito que é aqui.

você já se acostumou?

acho que sim. apesar de eu não ter vindo pra cá por querer.

a patroa riu. eu sei disso. você nunca deixa a gente esquecer.

eu olhei em volta da sala. o tapete no chão era macio debaixo de mim e na luz da vela os livros ficavam de todas as cores. o fogo tinha crescido e subia pela chaminé e eu pensei na lareira da fazenda que o meu pai só acendia quando vinha a geada e a gente tremia de frio. e o fogo de lá nunca ficava tão alto porque o meu pai nunca botava muita lenha. ele dizia que senão ia queimar o coração de porco alfinetado na parede da lareira pra espantar o diabo.

mary?

desculpa, dona.

eu estava dizendo que eu me casei rápido. o meu marido me pediu em casamento e nós nos casamos logo depois. eu tive uma filha um ano mais tarde mas ela morreu pouco depois de nascer.

a patroa tirou o pé da minha mão e descansou ele na cama.

foi quando, ela falou, o meu marido decidiu seguir os passos do pai dele e entrar para a igreja. e um ano depois que ele foi ordenado pastor eu tive o ralph. ele é o filho perfeito.

alguém bateu na porta e ela abriu. era a edna.

com licença, senhora graham, ela falou. uma irmã da mary está aqui e quer dar uma palavra com ela.

está tarde, a patroa falou. mas é melhor você ir.

eu saí correndo pelo corredor de pedra o mais rápido que eu podia porque eu pensei que só podia ter acontecido alguma coisa ruim pra minha irmã ter ido lá e pensei que era alguma coisa com o meu vô e então eu corri pra porta de trás. e era a violet que estava lá.

o que que aconteceu?, eu perguntei.

a violet olhava pra mim como se não estivesse me vendo e como se estivesse olhando pra dentro da casa. aí eu me virei pra ver o que que ela estava olhando e deu pra ver a edna parada lá pra escutar a gente.

e a violet perguntou se a gente não podia sair um pouco porque ela queria conversar comigo e a edna disse que eu podia só que estava escuro e por isso eu não podia demorar muito.

a violet me levou na alameda que a gente pega pra ir no morro e a gente parou num portão e depois passou por ele e andou no mato alto e úmido. o ar tinha cheiro de maçã porque tinha árvores de maçã naquele pasto. eu botei o meu xale no chão e a gente sentou.

como você tá?, ela perguntou.

dane-se como eu tô, eu respondi. quem tá doente? é o vô?

ele tá bem. ninguém tá doente.

então por que você fez parecer que alguém tá?

pra tirar você de lá.

ah, eu falei. bem então diz pro meu vô que assim que eu tiver um dia de folga vou lá visitar ele. a beatrice tá bem?

a beatrice levou a cama dela pro nosso quarto. ela não conseguia dormir sozinha.

e a hope?

de cabeça quente como sempre. eu falei, normal. eu devia ter falado como o papai.

e a mamãe?

ela tá bem. nada mudou. a não ser — e então a violet puxou o xale dela pro lado e botou a mão bem em cima da barriga. eu me meti numa encrenca.

que encrenca?, eu perguntei.

ela pegou a minha mão e botou em cima da barriga dela. estava dura e firme e eu senti alguma coisa se mexendo debaixo da pele. a pele subiu e desceu como se alguma coisa tivesse passado ali. como se a violet tivesse alguma coisa lá dentro. eu puxei a minha mão.

é um bebê, ela falou.

ah.

é, ah.

você falou com alguém?

não.

eu sei de quem que é, eu falei.

ela não disse nada.

é do ralph, né?

ela fez que sim.

você contou pra ele?

ela fez que não. eu não sei o que fazer.

nem eu.

então a gente se sentou lá e ficou calada. a umidade entrou nas nossas roupas. e os pássaros da noite cantaram e o vento balançou o mato e as folhas de cima das árvores.

a lua estava quase cheia e iluminava as nuvens.

eu nem sei o que dizer, eu falei.

nem eu.

então eu me levantei. é melhor eu ir, eu falei.

ela levantou também. você quer que eu vou lá com você?

não. tudo bem.

eu comecei a voltar pra casa e então eu me virei. a violet estava parada lá me olhando. a gente olhou uma pra outra no escuro e ela começou a subir o morro. no meio do caminho ela se virou e eu me virei e a gente se olhou mas nenhuma das duas disse adeus.

no outro dia eu estava no jardim e estava colhendo maçãs do pé de maçãs pra levar pra cozinha e carregava uma cesta e uma estaca comprida. e eu ia cutucando as maçãs e depois tentava pegar as que caíam porque se elas caíssem no chão podiam amassar e maçã amassada não é maçã boa. e pode fazer as outras maçãs ficarem ruins.

enquanto eu ia cutucando as maçãs e tentando pegar eu vi o ralph. eu vi ele andando pelas janelas da casa que estavam abertas. ele atravessou o quintal pra ir falar comigo.

eu deixei uma maçã cair na minha cabeça e o ralph começou a rir.

eu fiquei olhando pra ele mas ele continuou rindo e então eu cutuquei mais uma maçã e ele pegou ela e colocou na cesta.

eu não preciso de ajuda, eu falei.

eu acho que precisa.

eu dei as costas pra ele e fui pegar a próxima maçã só que ele pulou na minha frente e pegou ela bem debaixo do meu nariz.

vou embora em breve, ele falou. vai sentir saudades?

eu nunca vou sentir falta de você, eu respondi. pra onde você vai?

é hora de ir pra oxford, ele falou.

e vai fazer o quê lá?

faculdade. estudar. me educar.

eu mexi a estaca e algumas maçãs se soltaram e ele pegou duas mas deixou as outras caírem no chão.

eu achei que você ia pegar, eu falei.

eu peguei.

é pra pegar todas. eu tava bem melhor fazendo isso sozinha.

me dá a estaca.

então ele foi abaixando os ramos e segurando eles enquanto eu tirava as maçãs.

quando eu enchi a cesta eu fui pra cozinha que nem a edna tinha mandado. quer que eu carregue?, o ralph perguntou. ele esticou a mão e encostou ela na minha.

não me toca, eu gritei. eu sei como você é.

ele riu. não se preocupa. eu não vou fazer nada de ruim pra você. está segura comigo.

a minha irmã não tava.

ah. isso de novo, não. você consegue ser uma chata pra alguém que é normalmente tão engraçada.

ela vai ter um bebê.

o quê?, ele falou.

ela vai ter um bebê. a barriga dela tá grande.

muito engraçado.

ela veio me ver ontem de noite. ela falou que o bebê é seu.

eu não sei do que você está falando.

eu sou uma garota de fazenda. eu sei o que que acontece. ela me mostrou a barriga e eu até senti o bebê mexendo nela.

se ela está de barriga, eu não tenho nada a ver com isso.

ah, eu falei. estranho porque não é isso que ela diz.

garotas falam qualquer coisa.

não a violet.

claro que ela fala. elas vão com qualquer um e aí falam coisas idiotas que nem essa.

mas eu ouvi você naquela noite lá no nosso quintal. e eu vi você.

se estava de noite então estava escuro. e você não conseguiu ver se era eu. e, ele falou, mesmo se tudo isso fosse verdade eu não vou estar por aqui mesmo. eu vou estar a quilômetros de distância.

ah, vai?

vou. ah, vai, não fica assim tão séria.

e ele pegou a cesta das minhas mãos e foi embora.

vou parar agora porque eu preciso deitar e descansar.

tem muita coisa pra contar e você precisa saber tudo e então você vai entender.

os meus braços estão doendo.

tem câimbra nas minhas mãos.

se eu fechar os meus olhos eu consigo voltar e lembrar de tudo.

a gente ficou o dia todo descascando maçã e cebola e pesando fruta e cuidando do vinagre pra fazer uma tigela de molho picante tão forte que desceu pela garganta como se estivesse fervendo e fez a gente ter que abrir as portas e as janelas.

me deram uma pilha de ramos de trigo e eu me sentei com a edna e ela me ensinou a fazer um boneco com um e depois grinaldas e sinos e corações e ferraduras.

e eu peguei o boneco de trigo que era o que eu gostava mais e levei pra mostrar pra patroa. só que ela estava deitada e parecia mais pálida que o normal. o ralph estava sentado do lado dela na cadeira. e eu perguntei se a dona estava bem.

não, ela respondeu.

posso ajudar em alguma coisa?, eu perguntei.

convence o meu filho a não ir embora.

eu acho que nem a sua querida mary pode fazer isso, o ralph falou. e de qualquer jeito essa tristeza vai passar, não vai? e ele fez carinho na mão dela.

eu vou sentir saudades, a patroa falou pra ele.

fala pra ela que ela vai ficar bem, o ralph me pediu.

ele tá certo, eu falei. a senhora vai ficar bem, dona. eu vou te fazer companhia. todo mundo vai ficar aqui com a senhora.

viu só?, o ralph falou e se levantou. eu lhe falei que vai ficar tudo bem. fica com ela, mary.

então ele saiu.

e a gente ficou lá no quarto com o tique-taque do relógio e o barulho da lareira e o sol fraco entrando pelas janelas.

senta aqui comigo, mary.

só um pouco. eu tenho coisas pra fazer.

eu fiquei um pouco ali e ela se encostou no travesseiro e fechou os olhos. ela começou a respirar mais fundo e devagar. eu soltei a mão dela e levantei pra sair.

eu fiquei parada na porta e olhei pra ela de novo e ela estava pálida. ela respirava devagar no quarto silencioso.

• • •

na cozinha a edna estava fazendo pudim e misturava sebo na farinha. ela me mandou descascar batatas e cenouras e então eu peguei uma peneira e uma panela dágua e levei pra mesa e comecei a trabalhar.

quando é que o ralph vai embora?, eu perguntei.

amanhã. eu fiz as malas dele.

ele tava com a patroa, eu disse. ela tá triste mas eu não sei por quê. ela não sabe como ele é de verdade. ele não se importa com nada.

eu coloquei a primeira batata na panela dágua.

as pessoas nunca veem as coisas ruins, eu continuei, mesmo quando tá na cara delas. que nem o porco quando deita em cima da própria merda.

cuidado com o que fala.

por quê? falo o que eu bem entendo.

você tem um bom emprego aqui.

não é um emprego. eu não recebo nada. só me falaram que era pra mim vim pra cá e morar e trabalhar aqui em vez da minha casa.

pagam o seu pai pelo que você faz.

mas não eu.

você tem um teto. uma cama. roupa. você tem comida. a edna pegou um rolo de massa e balançou ele no ar na minha frente. toma cuidado com isso.

cuidado com o quê?, eu perguntei. com o rolo? você não vai me bater com isso. eu me estiquei e peguei o rolo da mão dela e botei ele em cima da mesa. eu não sou grata, eu falei. eu nunca vou ser grata pelo que eu tenho aqui.

eu falei pra ele que você ia ser problema quando ele me falou que você vinha pra cá, eu falei pra ele. eu falei que era melhor não pegar uma daquelas garotas. o gênio do seu pai tá mesmo em cada uma de vocês.

você não devia falar dele desse jeito, eu falei.

por quê? você não vai tentar me dizer que ele não é do jeito que ele é, vai?

não, eu respondi. mas eu posso falar essas coisas sobre ele. não você.

e então a porta da cozinha abriu e o seu graham entrou. mary, ele falou, traz um bule de chá para o meu escritório, por favor.

não sei por que ele pediu pra você, a edna falou quando ele saiu. sou eu que levo o chá dele.

ele não estava sentado na cadeira que costumava sentar. ele estava parado na janela olhando pra fora. estava de terno. ele me viu e correu pra arrumar lugar na mesa dele onde eu pudesse botar a bandeja.

e aí ele fechou a porta e falou pra mim sentar. e eu sentei.

o ralph vai embora amanhã, ele falou.

é, eu falei, a patroa me contou.

eu quero conversar com você porque acho que a saúde dela tem piorado e eu sei o que isso pode provocar nela. eu quero que você fique com ela, tome conta dela.

sim, senhor.

eu posso contar com você?

claro que pode.

ótimo. serve meu chá, por favor.

eu botei o leite e equilibrei o coador na xícara e servi o chá. eu passei a xícara pra ele e o pires e quando eu me inclinei pra entregar tudo na mão dele eu vi uma caneta e um livro aberto.

o que que é aquilo?, eu perguntei.

o quê?

aquele livro ali, eu falei.

é um registro de todos os pássaros que já passaram aqui pelo jardim.

ah. por que o senhor faz isso?

acho que ninguém nunca me perguntou isso antes. acho que eu só gosto de saber quais deles voltam de um ano para o outro. de manter um registro de como eles vêm e vão de acordo com as estações. eu anoto como eles costumam se acasalar e se isso muda quando tem um inverno muito frio ou uma primavera amena.

então o senhor faz isso e também é pastor?

isso.

e ser pastor é escrever os sermões e falar pras pessoas o que que elas têm que fazer.

ele sorriu. eu não descreveria exatamente assim mas entendi o que você quis dizer.

não parece dar muito trabalho.

talvez para você. acho que você sempre esteve cercada de trabalhadores. quer dizer, lá na fazenda, de pessoas que trabalham o dia inteiro.

se a gente não trabalha, eu falei, a gente não come

claro.

por que o senhor faz isso?

isso o quê?

ser pastor?

ele juntou as mãos e olhou pela janela.

eu me senti convocado para isso. e, acho, segui os passos do meu pai na profissão. e então, é claro, a saúde da minha mulher ficou ruim e ser pastor pareceu perfeito porque eu posso estar aqui sempre que ela precisa de cuidados.

só que quem cuida dela sou eu, eu falei.

ele me encarou. você realmente fala demais.

ah, falo, patrão? acho que eu só falo a verdade.

talvez.

só que as pessoas não gostam de ouvir.

nem sempre, nem sempre.

mas eu não sei ser de outro jeito. porque é assim que eu sou.

eu me levantei.

posso ir agora?, eu perguntei.

sim. mas antes de você ir. o que você sabe sobre pássaros?

eu, patrão?

ele fez que sim. é. você.

eu sei que tem vários tipos deles e que eles vêm dependendo do que a gente planta. e eu sei que tem uns que ficam durante o inverno e outros que vão embora e depois voltam.

e você sabe o nome deles?

de alguns, eu respondi. o meu pai ensinou pra gente aqueles que comem o que a gente planta. ele falou pra gente matar esses. e também aqueles que a gente pode comer se não tiver mais nada pra comer.

você gostaria de saber alguns dos nomes?, o seu graham perguntou. eu posso lhe ensinar.

se isso deixar o senhor feliz?, eu respondi.

mas isso a deixaria feliz?, ele perguntou.

eu não sei por que o senhor se preocupa com o que pode me deixar feliz, seu graham.

ele me encarou e depois eu fui embora e fechei a porta quando saí.

naquela noite eu fui na sala branca arrumar a lareira pra manhã do dia seguinte. estava tarde e a patroa já tinha ido pra cama. a porta estava fechada e eu abri e entrei e eu levava uma vela e me ajoelhei na frente da lareira e as cinzas ainda estavam muito quentes pra mim poder limpar e então sentei nos meus pés e fiquei olhando pras cinzas e fiquei pensando no coelho pendurado na copa e no que a edna ia preparar com ele porque ela tinha falado de fazer uma torta mas devia mesmo era fazer um ensopado. e foi aí que ouvi uma voz atrás de mim que me fez pular tão alto que eu quase caí no meio das cinzas.

mary?

eu me virei rápido e onde os meus olhos tinham se acostumado com a luz da vela eu consegui ver o contorno dum corpo.

o que que a dona tá fazendo aqui?, eu perguntei. achei que já tava dormindo.

eu sei. eu não consegui dormir e então desci.

a senhora tem que descansar, eu falei.

não dá.

eu levei a vela pra perto da patroa e coloquei em cima da mesa do lado dela.

a dona quer comer ou beber alguma coisa?

não.

quer que eu faça alguma coisa?

não.

cobri ela com um cobertor e peguei na mão dela. a senhora tá gelada.

não dá pra sentir.

mas tá.

e cobri ela com outro cobertor.

por que que a senhora não vai pra cama? eu te ajudo a ficar confortável.

não vou a lugar nenhum.

eu me ajoelhei no chão do lado dela. então eu também não vou.

a gente ficou lá um pouco. o ar na sala estava esfriando e depois dum tempo eu fui até a lareira e coloquei um pouco de lenha. e o fogo acendeu e então eu fui colocando mais uns gravetinhos até o fogo crescer.

obrigada, a patroa falou.

de nada.

eu quebrei alguma coisa, ela falou. eu estava tentando abrir o piano.

eu levei a vela até lá e vi uma xícara de louça quebrada no chão. catei os cacos.

eu queria ouvir o piano, a patroa falou. eu tocava quando era mais nova.

a senhora quer ouvir agora?, eu perguntei.

você pode tocar?

eu ri. não. onde é que a dona acha que eu ia aprender a tocar? no chiqueiro? no galinheiro?

a sua vida era bem diferente lá, não era?

era.

eu fico imaginando o que vai acontecer com você daqui para a frente.

eu vou dormir e acordar e fazer pão. eu vou fazer a faxina e tudo o que eu tenho que fazer. não vai acontecer mais nada comigo.

eu abri a tampa do piano. e mesmo no escuro eu consegui ver as teclas brancas e as pretas mais pequenas. eu apertei uma mas não fez barulho.

aperta mais. rápido.

eu apertei mais rápido e fez barulho.

o som do piano ainda está igual, ela falou.

quer tocar?

ela balançou a cabeça. não.

eu fechei a tampa.

senta aqui, mary, ela falou.

eu levei a vela até lá e me sentei no tapete. a patroa esticou a mão e pegou no meu cabelo e eu não me mexi e só fiquei ali e ela começou a me fazer carinho como se eu fosse um gato.

fico imaginando se a sua mãe sente falta de você, ela falou.

eu acho que não.

tenho certeza que sim.

ela parou um pouco e depois começou a fazer carinho de novo.

sabe?, ela falou, quando você tem um bebê parece que ele é a sua vida. você não acha que ele vai crescer e não vai mais precisar de você. que ele vai querer ir embora.

não dá pra fazer ele parar de crescer, eu falei.

eu sei. mas você não sabe como é. você deixa tudo para cuidar dele e proteger ele e aí ele vai embora. é como se acabasse com a sua vida pra poder viver a vida dele.

ela botou a mão no meu ombro e eu botei a minha em cima da dela. a senhora me faz nunca querer ter filho, eu falei.

então não me deixa fazer. ela agarrou o meu pulso. não me deixa.

eu tô caçoando da senhora. se eu quiser um bebê eu vou ter. se eu não quiser eu não vou ter.

você não devia caçoar de mim.

eu sei, eu falei, mas eu não consigo evitar.

e a gente ficou sentada lá enquanto o fogo ia ficando mais forte. e a gente conseguia sentir a sala se aquecendo e o tique-taque do relógio e uma coruja lá fora piou pra chamar outra.

ah, mary, a patroa disse. eu não quero que chegue amanhã eu não quero que o tempo passe nunca mais.

• • •

no dia seguinte de manhã eu estava carregando água quente pro escritório do pastor onde ele fazia a barba antes de tomar café. o ralph me parou no corredor de pedra e botou o braço na frente pra mim não poder passar.

eu estou indo embora, ele falou.

eu sei.

enquanto eu estiver longe, espero que você não fale certas coisas para o meu pai.

não sei do que você tá falando. o que que eu falaria pra ele?

você sabe muito bem. agora escuta. você não conta nada sobre mim pra ele e em troca eu não conto nada pra ele sobre você.

você não tem nada sobre mim pra contar pra ele.

ah, eu tenho sim, garota da fazenda. ele agarrou o meu rosto e se inclinou pra frente e então ele me beijou e a boca dele encostou na minha boca. eu empurrei ele e ele começou a rir. como é que você se atreve a me beijar?, ele falou.

eu não te beijei.

como você se atreve?

eu não beijei. eu não beijei.

viu? você não ia querer que eu contasse pra ele que você fica tentando me beijar ou que você anda pela casa de noite me esperando sair do meu quarto, correndo atrás de mim.

eu nunca ia fazer isso. nunca.

ah, não? não mesmo? ele fez carinho no meu rosto e depois foi embora.

eu nunca fiz nada disso.

você sabe que eu não fiz.

naquela mesma manhã o ralph desceu com as malas e levou elas pra fora. ele voltou pelo corredor e bateu na porta do escritório do pastor. e eu estava olhando da porta da cozinha. o seu graham saiu e apertou a mão do ralph.

boa sorte, filho, ele falou. trabalha duro.

o ralph bateu no braço do pai. vou trabalhar.

agora vai lá se despedir da sua mãe. seja delicado.

a gente ficou esperando lá fora e ele entrou na sala branca e depois saiu.

como ela ficou?, o seu graham perguntou.

ele encolheu os ombros. como se esperava, ele falou. e o ralph me viu e perguntou. cadê a edna?

lá em cima, eu respondi. é dia de folga dela. quer que eu digo pra ela descer?

não. não precisa. dá adeus pra ela por mim.

então ele passou por mim. e a charrete estava lá fora e o harry estava botando as malas em cima e depois os cavalos se foram.

a edna estava sentada na cama dela e eu contei que o ralph já tinha ido e que tinha me mandado dar adeus pra ela por ele e ela só balançou a cabeça e nada mais.

você vai sair?, eu perguntei. é o seu dia de folga. você podia ir ver a sua família.

eles não querem que eu vá pra casa, ela respondeu.

ah.

eu fiquei parada lá e ela balançou a cabeça.

você tá triste porque ele foi embora?

não é isso, ela respondeu. é que eu conheço ele desde que ele nasceu. eu cuidei dele todos esses anos e ele nunca falou comigo.

eu não sabia o que dizer e então eu saí de lá e desci a escada. e fui pra sala branca ficar com a patroa.

ela estava deitada com a cabeça virada pro outro lado e eu peguei uma cadeira e fui sentar perto dela e não falei nada mas fiquei esperando ela falar comigo. só que eu fiquei sentada lá por muito tempo e ela nem se mexeu. então eu levantei e fui pegar um chá pra ela e botei ela sentada pra poder beber e depois eu acendi a lareira porque a pele da patroa estava gelada demais pro meu gosto.

e eu até tentei fazer ela falar. tentei mesmo. mas ela não falou.

então eu fiquei sentada lá entre um serviço e outro naquele dia. fiquei lá até começar a ficar de noite e depois fui lá ajudar ela a subir pra cama. só que ela não conseguiu levantar.

me deixa aqui, ela falou.

a senhora tem que subir.

eu não vou a lugar nenhum.

e eu andei pelo corredor e bati na porta do escritório e pedi pro seu graham ir lá conversar com ela e ele me seguiu e parou na frente da mulher.

vem, ele pediu. você tem que ir para a cama.

mas ela não respondeu. só virou a cara pro outro lado.

vai lá em cima e pega as cobertas dela, ele mandou. eu subi e entrei no quarto e peguei as coisas e desci de novo.

o seu graham estava do lado da lareira.

deixa a minha mulher confortável pra passar a noite, ele falou. e saiu.

eu tirei a roupa da patroa do jeito que deu e coloquei atrás dela um travesseiro mais macio e deitei ela nele e cobri com as cobertas e depois mexi no fogo e sentei do lado dela e apaguei as velas. e a lareira iluminou a sala.

e eu fiquei sentada lá por muito tempo. eu sabia que a patroa estava dormindo e então o seu graham voltou.

você tem que ir pra cama, ele falou. eu fico cuidando dela. você não precisa fazer isso.

e então eu fui embora. subi a escada com a minha vela e entrei no meu quarto. subi na minha cama e me cobri.

a edna já estava lá e a cama dela estalou quando ela se mexeu. eu esperei pra ouvir se a respiração dela estava devagar mas não estava. então eu ouvi quando ela levantou e botou as mãos do lado do fogo da vela. a luz iluminou as paredes. e a sombra da edna subia até o teto.

fiquei deitada que nem um gato no sol. e esperei. a edna abriu a caixa debaixo da cama dela e ficou olhando as três mortalhas. ela dobrou todas elas e botou de volta na caixa e a caixa de volta debaixo da cama. então ela apagou a vela e o quarto voltou a ficar no escuro e eu ouvi a cama da edna estalar de novo quando ela voltou a se deitar.

no dia seguinte eu levantei e desci a escada. fui na cozinha e acendi a lareira e depois acendi a do escritório do seu graham também. e então andei pelo corredor de pedra e fiquei parada do lado de fora da sala branca tentando ouvir alguma coisa mas não escutei nada e abri a porta bem devagar.

a patroa estava deitada na cama. o braço branco dela com as veias azuis caído pro lado. a mão dela encostada no chão. dona, eu chamei. e eu cheguei perto dela. dona. e puxei o braço dela e continuei chamando. dona. dona.

ela abriu os olhos bem devagar e o azul deles estava embaçado e eu botei as mãos em volta do rosto dela.

a dona tá me ouvindo?

e eu sabia que ela estava porque as bolotas pretas dos olhos dela diminuíram.

falei baixinho. dona. acorda.

deitei ela de volta e falei pra ela não sair dali e corri pra chamar o seu graham que estava descendo a escada. pra pedir pra ele vim comigo. e ele veio.

o médico chegou e foi embora. e eu ouvi o cavalo dele na alameda e então voltei o mais rápido que eu pude pra sala branca pra atiçar o fogo e deixar a sala quente. e então fiz um chá pra patroa. e sentei do lado dela.

quer que eu te falo das minhas irmãs?, eu perguntei. ou da fazenda? ou que eu converso com a senhora?

mas ela não respondeu. fiz carinho no cabelo dela mas achei melhor não escovar pra não machucar. peguei o creme de lanolina e esfreguei nas mãos dela. e vi que ela fechou os olhos pra dormir e fiquei olhando até ela abrir pra acordar e ela acordou mas continuou sem dizer nada e o seu graham entrou na sala branca e então eu saí.

e foi isso que aconteceu nos outros dias também. e então eu montei uma cama na sala branca pra poder dormir com a patroa e cuidar do que ela precisasse. e a edna passou a fazer a comida e foi assim que eu virei ama da patroa.

e teve um dia de manhã que o seu graham entrou na sala e disse que eu devia ir pegar um ar e se eu quisesse podia voltar na fazenda pra ver todo mundo. só que eu não gostava de deixar a patroa daquele jeito e respondi que não. falei que eu ia ficar com ela e fiquei.

aí ele sentou do meu lado numa cadeira e eu sentei na outra. e eu falei, o senhor acha que devia mandar o ralph voltar pra ver a dona? mas ele disse não. não é preciso. ele falou que o ralph agora estava na universidade estudando e não tinha que ser incomodado.

mas a dona ia gostar que ele voltasse pra ver ela, eu falei.

eu sei, o pastor respondeu, mas eu já tomei a minha decisão.

e a gente ficou sentado lá até um pássaro pousar no parapeito da janela e o seu graham apontar ele pra me mostrar. qual é aquele ali?, ele perguntou.

esse é o preto que come semente, eu falei.

é uma gralha. e você sabe a diferença entre uma gralha e um corvo?

eu respondi, eles têm nomes diferentes.

e aí o seu graham me explicou as diferenças entre todos eles. como eles comem e como alimentam os filhotes e como vivem.

e ele pediu pra mim pegar chá quente e um pouco de bolo. e eu peguei. e ele olhou pra bandeja e olhou pra mim e me mandou pegar mais uma xícara pra mim poder beber com ele.

e foi assim que a gente sentou lado a lado e bebeu chá juntos.

não sei por quantos dias eu lavei o rosto e as mãos dela e troquei as cobertas e mudei ela de posição pra não dar ferida. ela não queria beber nada mesmo eu dando chá na boca.

ela não comeu mais.

e teve um dia que eu acordei na cadeira porque eu prometi pra mim mesma que eu não ia dormir mas eu dormi. e quando eu acordei ela abriu os olhos e me olhou e sorriu e fechou os olhos.

eu pulei da cadeira e corri pra perto dela. fiquei tentando ouvir alguma coisa mas não consegui ouvir nada. peguei um espelhinho e botei perto da boca da minha patroa mas ele não ficou embaçado. ele continuou claro.

a minha mão está doendo de novo e o meu pulso está doendo e eu não queria contar isso.

eu não queria escrever isso.

eu não queria ler isso.

e então a casa ficou em silêncio.

e fui eu que tirei a roupa da patroa e deitei ela e dei banho. fui eu que botei moedas em cima dos olhos dela e limpei a sua pele branca.

fui eu que escovei o cabelo dela.

fui eu que passei o vestido pelos braços pesados e pelas pernas pesadas. e enfeitei o cabelo com uma fita.

depois os homens entraram na sala branca e colocaram ela num caixão todo azul por dentro e colocaram o caixão numa mesa com cadeiras pra sentar em volta.

e todo dia eu entrava na sala branca e olhava pra ela.

e fechava a porta e sentava.

para.

olha pra cima. pra fora. respira.

depois de uns dias o coveiro abriu um buraco no cemitério e o seu graham foi no escritório e escreveu com a pena e a tinta.

eu e a edna ficamos na cozinha fazendo bolos e a gente limpou a casa e foi pra igreja e poliu os bancos e esfregou o piso.

aí uns homens levantaram o caixão e o ralph foi atrás e o seu graham falou da patroa e rezou.

a gente estava na cozinha com a janela aberta. dava pra ouvir quando começaram a cantar.

as mulheres ficaram esperando na casa. e os homens foram na igreja.

e os sinos começaram a tocar.

e então a porta da casa abriu e os homens entraram.

e a casa não estava mais em silêncio. estava cheia de gente.

e todo mundo comeu os bolos e bebeu o chá e depois foi embora. o ralph e o seu graham foram no escritório. eu e a edna limpamos a casa e lavamos os pratos e os copos e colocamos de volta no lugar.

a casa ficou em silêncio de novo.

fui na sala branca. fechei a porta pra ficar em paz. as janelas estavam abertas pra arejar a sala e tinham tirado a cama onde a patroa dormia. mas as almofadas azuis ainda estavam lá e eu peguei uma e abracei. e olhei em volta. tinha uma pilha de papel escrito e de envelopes. as cartas dela. e tinha um livro em cima da mesa. peguei ele e fui na estante e botei ele no lugar que tinha espaço.

e então parei na janela aberta e olhei pro jardim. e estava de noite.

ouvi a porta da sala abrindo e pensei que era a edna indo fechar as janelas.

mary.

eu me virei e vi o ralph todo de preto.

eu te procurei lá fora, ele falou. achei que você tinha ido no cemitério.

bem, eu não fui, eu respondi.

é, dá para ver. o que você está fazendo aqui?

vim arrumar, eu falei.

o que você vai fazer agora?, ele perguntou.

eu não sei, eu respondi.

você vai voltar pra fazenda agora que não tem mais nada pra você fazer aqui?

eu não sei, eu repeti. o seu pai ainda não me falou o que ele quer que eu faço.

ele deve falar logo. estava todo ocupado organizando o enterro.

o que que você vai fazer?

amanhã eu volto para a faculdade.

o que que você estuda lá?

ele sorriu. me esqueci como você é, ele falou. ninguém mais ia me perguntar uma coisa dessas. eu estudo filosofia. e economia.

ah.

mary, ele falou e deu um passo pra perto de mim.

eu dei um passo pra trás. o quê?

você sempre faz isso. como se eu te desse nojo.

eu sei bem o que você faz.

eu não vou fazer nada. olha, por que você não fica aqui e cuida do meu pai? porque senão ele vai se trancar no escritório e desenhar pássaros e ficar sem comer.

eu vou ver o que ele quer de mim, eu respondi. mas eu vim pra cá pra cuidar da sua mãe.

obrigado. o que você fez por ela foi ótimo. e o que eu falei antes sobre ela, lembra? quando eu falei da saúde dela. eu me arrependo. ficou claro que ela estava mais doente do que eu imaginava.

eu fiz que não me importava.

estou tentando pedir desculpas, ele falou.

você não tem que pedir desculpas pra mim, a pessoa que você tem que se desculpar morreu e então é tarde demais. você tem que pensar antes de fazer as coisas e antes de falar as coisas.

ele sorriu. você não muda, não é?

não, eu respondi. mas você bem que devia.

ele balançou a cabeça e riu. que seja, ele falou. obrigado por ter cuidado da minha mãe.

eu fiz que não me importava de novo e então saí da sala e andei pelo corredor de pedra e subi a escada e depois a outra escada e entrei no meu quarto.

e a edna não estava lá e eu fiquei ali sozinha. abri a janela pra entrar ar e deitei na cama e fechei os olhos.

outono é quando as folhas ficam amarelas e secas e morrem. não dá pra saber qual foi a primeira folha que amarelou. porque o verão e o outono passam devagar de um pro outro. não tem um dia que as folhas estejam todas amarelas.

e o outono é quando eu acho cogumelo embaixo das folhas e do musgo e levo eles pra cozinhar em casa. e tem um que se eu cortar sai leite.

sete dias antes da patroa ir pra baixo da terra o seu graham me pediu pra levar chá numa bandeja. então coloquei o bule e a xícara e o pires e o coador e a leiteira. e levei pro escritório e botei na mesa dele.

senta, mary.

eu sei que o senhor vai me falar alguma coisa sempre que me pede pra sentar, eu falei.

ele sorriu. então talvez você deva pegar uma xícara pra beber chá comigo e ficar à vontade.

estou bem.

mas eu prefiro que você vá pegar uma xícara e venha beber chá comigo.

eu fui. e peguei a xícara na cozinha e botei na bandeja. o seu graham serviu o chá. eu tentei servir mas ele me mandou sentar.

não estou acostumada a me servirem, eu falei.

e ele me deu uma xícara. você quer mais alguma coisa?

um trago do seu charuto?

ele riu. isso, não.

do que que o senhor quer falar?, eu perguntei. o senhor não me chamou aqui pra beber chá e ficar conversando.

você é muito dura, sabia? não dá pra dizer que é inteligente porque você não tem estudo nenhum. mas tem alguma coisa especial em você.

e o que seria?

algum talento bruto, eu acho.

é diferente de quem estuda?

é, acho que é. não é nada que você tenha aprendido. é mais animal, primitivo.

animal?

não é um insulto. os animais são sobreviventes. eles sabem o que têm que fazer sem ninguém ensinar. olha, não se aborrece com isso.

não tem nada que me aborrece. se eu não posso fazer nada pra mudar uma coisa então eu não deixo ela me chatear. se eu posso mudar uma coisa então eu faço e aí não preciso me chatear com nada também.

o seu graham juntou as mãos, dedo por dedo, parecendo uma torre de igreja. você, ele falou, devia ensinar muita coisa pro resto do mundo.

eu ri. acho que eu não tenho nada pra ensinar pra ninguém.

tem, sim, mary. e eu quero lhe agradecer.

o senhor não tem nada que me agradecer.

tenho, sim. tenho que agradecer por ajudar a minha mulher. ela gostava de você.

que bom. mas seu graham agora que ela morreu o meu trabalho aqui acabou, né?

eu gostaria que você ficasse aqui. falei com o seu pai e ele disse que acha ótimo.

mas se o senhor pergunta isso pra ele e ele sabe que o senhor quer que eu fico e que vai dar dinheiro pra mim ficar então ele não vai me deixar voltar pra casa. o senhor não me deu nenhuma escolha.

mas a gente precisa de você aqui. mary?

eu não disse nada. levantei e fui na janela. olhei pro mato lá fora coberto de folhas mortas de orvalho. os botões ressecados nos caules das flores.

mary?

eu me virei. eu não tenho escolha, tenho?

e foi assim que eu não voltei pra casa como eu achei que ia.

e foi assim que eu acabei ficando lá.

e no outro dia de tarde o seu graham foi ver uma mulher que o marido tinha morrido e a edna estava cozinhando e eu fui arrumar a sala branca de novo. e achei uma pilha de livros no chão atrás da mesa e comecei a colocar no lugar como eu já tinha colocado os outros antes. e eu não sei por que eu fiz aquilo mas quando eu ia colocar um deles na estante fiquei segurando. abri as folhas dele e olhei. virei ele prum lado e pro outro. mas eu não sabia nada de nada. e mesmo olhando bem eu não conseguia entender nada do que dizia nele.

mary?

eu dei um pulo e abracei o livro. eu estava olhando tanto pra ele que nem tinha ouvido a porta abrir e o seu graham entrar.

o que você está fazendo?, ele perguntou.

nada, não, patrão. eu estava era voltando pra cozinha.

deixa eu ver.

a gente ficou lá na luz da tarde e ele tirou o livro da minha mão. segurou na dele e virou o livro pra mim.

por que você pegou este?

eu fiz que não sabia.

vai, fala.

a cor.

ele sorriu. bom motivo.

tem ouro nele, eu falei.

enquanto eu dizia isso o patrão mexeu o livro e a luz do sol bateu nas letras de ouro. e elas brilharam.

você consegue ler alguma coisa aqui?, ele perguntou.

não. tudo isso parece muito confuso pra mim. não sei como alguém pode tirar alguma coisa do que tá aí. tem só um monte de linhas pretas.

não quando você sabe ler. me fala, alguém na sua família sabe ler?

não.

ninguém nunca nem tentou ensinar?

eu ri. não. a gente tem muito trabalho pra fazer.

entendo. ele apontou pro ouro na frente do livro. está vendo?, ele falou, está vendo as letras aqui? b. i. que nem em bíblia. está vendo? bi.

e eu olhei pro livro e pras letras de ouro. o seu graham me entregou ele de volta e saiu da sala. eu fiquei e o livro ficou na minha mão. e eu ainda estava lá quando ficou de noite.

eu falei pra você que eu estou escrevendo isso com as minhas próprias mãos.

e falei que a minha irmã beatrice segurava a bíblia e fazia que estava lendo mas não sabia o que que eram aquelas formas no papel. e não sabia ler de verdade.

eu falei pra você.

no outro dia teve um trabalho que eu odeio. eu tive que lustrar os corrimões desde o andar de cima até o corredor de pedra.

eu passava a cera e deixava ela entrar na madeira e aí esfregava até ficar brilhando e até o meu braço doer.

mary. mary.

eu ouvi a voz dele dali de onde eu estava em cima da escada. eu não fiz nada além do que ele tinha me mandado fazer.

eu ouvi ele entrar nas salas e nos quartos e depois subir a escada.

ah, aí está você. o que você está fazendo?

eu acho que alguém tão estudado podia adivinhar o que que eu tô fazendo, eu respondi.

cuidado pra não passar dos limites, ele falou. não seja imprudente.

dá pra ser alguma coisa que a gente não sabe o que que quer dizer?, eu perguntei.

claro, ele respondeu. a raposa é uma raposa sem saber que é.

eu não sou uma raposa.

eu não disse que era. olha, vem comigo.

o senhor quer que eu paro com o trabalho?

você continua depois.

se é o que o senhor quer.

é.

eu botei a cera e o pano no chão e segui o seu graham pela escada até o escritório dele.

ele apontou pra cadeira na frente da dele do outro lado da mesa. e me mandou sentar.

aí eu sentei e ele também.

certo, ele falou. por onde começar?

ele pegou uma folha de papel e enfiou a pena no pote de tinta. ele escreveu duas linhas no papel. uma em pé e uma deitada que saía da ponta da outra.

L

isso é um L, ele falou. e tem um na palavra *bíblia*.

ele desenhou outra coisa no papel.

l

isso aqui é um l também. cada letra tem dois jeitos de escrever. um maiúsculo e um minúsculo. L. l.

eu não estou entendendo, eu falei.

vai entender.

eu não vou conseguir.

vai, sim, mary. toma aqui. tenta desenhar a letra com o dedo pra você não se esquecer. L. assim.

enquanto eu desenhava com o meu dedo em cima da mesa ele ficou falando.

uma linha em pé. uma linha deitada. isso. agora faz de novo.

e eu fiz o L mais três vezes.

isso mesmo, ele falou. agora tenta o outro l. uma linha pra baixo.

e eu desenhei com o meu dedo em cima da mesa. uma linha pra baixo.

viu só?, ele falou.

eu respondi que sim.

eu tinha visto.

eu tinha.

• • •

naquela noite eu saí depois de acabar os serviços todos. eu subi a alameda e cheguei no morro e a terra estava molhada, o mato estava alto e molhou a minha saia. eu parei na porteira da fazenda. o pasto estava cheio de bezerro mastigando e eles faziam muito barulho. eu ouvi um corvo gritar e voar entre as árvores e a lua estava nascendo e as estrelas estavam começando a aparecer.

eu me encostei na porteira e toquei nele com os meus dedos e tinha limo cobrindo a madeira. o ar tinha cheiro de terra molhada e o meu dedo começou a desenhar a letra na madeira da porteira.

uma linha em pé e uma linha deitada.

L

eu levava água pro seu graham se barbear todo dia mas vi que ele tinha parado de usar porque a água continuava limpa e sem pelos e porque a barba dele começou a crescer. vermelha e branca que nem a cauda duma raposa.

e quando eu levei o chá um dia o seu graham estava sentado na mesa segurando a cabeça com as mãos.

eu botei a bandeja na mesa mas ele nem se mexeu.

o senhor tá bem?, eu perguntei.

ele abaixou as mãos e me olhou. seus olhos estavam vermelhos e molhados.

quer que eu pego alguma coisa pro senhor?

não.

eu não sabia o que fazer e então fiquei ali parada.

mary, senta, ele pediu.

eu sentei numa cadeira perto da porta.

ele olhou lá fora pela janela onde o vento estava levantando folhas no ar. e elas caíam das árvores como se chovessem.

me serve o chá?

e eu servi.

eu me sentei e esperei enquanto o seu graham bebia um gole na xícara que parecia muito pequena na mão dele. aí ele me olhou. nem perguntei se você também queria, ele falou.

eu sei.

desculpa. e ele meio que levantou.

eu nem queria mesmo, eu falei.

ele balançou a cabeça e sentou de novo. e olhou pela janela de novo.

eu fiquei tão ocupado resolvendo um monte de coisa depois do enterro, ele falou. acabei de me dar conta que eu estou aqui sozinho agora. o meu filho também foi embora. o seu graham voltou a olhar pra mim. desculpa, ele falou. não sei por que estou lhe contando isso.

o senhor não tem ninguém pra contar as coisas, eu respondi, porque é pro senhor que todo mundo conta tudo.

ele concordou. claro, você está certa.

não é a mesma coisa sem ela, eu falei.

não.

a gente ficou sentado lá um tempo. ele me deu a xícara e eu botei mais chá.

eu saí pra andar de manhã, ele disse. vi seu pai no morro.

o senhor falou com ele?

um pouco, ele falou.

deixa eu adivinhar a conversa, eu falei. a plantação o tempo. os pássaros que o senhor tem visto. se a colheita das maçãs foi boa.

muito bem. mas faltou uma coisa. ele disse que comprou um malhadeiro pra colheita desse ano. eu não sabia que ele era interessado em tecnologia.

ele é interessado em fazer dinheiro.

fazendeiros quase sempre são.

e ele ficou calado de novo.

eu já acabei o que eu tinha que fazer aqui?, eu perguntei. posso ir?

ainda não, ele respondeu. ele abriu a gaveta do lado da mesa e tirou um livro. qual foi a letra que eu lhe ensinei?, ele perguntou.

não dá pra mim fazer isso agora. tem muito serviço, eu falei. a edna vai me bater se eu não faço o meu trabalho.

vou falar pra ela que fui eu que pedi pra você ficar. agora diz, que letra?

l

muito bem. e você lembra como escreve ela?

eu não sou burra, patrão, eu respondi.

eu não disse que você era. só perguntei.

eu lembro tudo.

ótimo. então você vai ser a minha melhor aluna. essa palavra, o que ela quer dizer?

isso aqui é um l.

bom. e ele explicou a letra b. b de bezerro e de boi. e a letra a. a de árvore e de avental. só que tinha o b e também o B. tinha o a e o A. e eu tinha que aprender todos eles. o seu graham desenhou cada um com os nossos dedos e depois me fez escrever com a pena. e eu molhei ela no pote de tinta.

e quando eu tinha aprendido a letra que tem um ponto em cima ele quis ver se eu conseguia ler elas.

ele pegou o livro e disse olha aqui. vê se você consegue ler isso.

e eu olhei as letras de ouro no couro preto. olhei todas elas e desenhei todas elas e falei qual era cada uma delas. e então ele me falou pra juntar todas numa palavra porque é isso que a gente tem que fazer.

e eu li.

bíblia.

bíblia, ele repetiu. muito bem. sua primeira palavra.

então eu consigo ler uma palavra?

consegue, sim.

ah.

agora, olha aqui. e ele tirou três livros diferentes da gaveta e me mostrou eles. e disse que eram a mesma coisa. a *bíblia.* eu li nos três.

li.

a minha primeira palavra.

eu coloquei o dedo em cima das letras de ouro do livro preto e desenhei o formato delas. eu senti cada letra gravada no couro enquanto eu ia lendo em voz alta. *bíblia.* eu falei *bíblia.*

o seu graham bateu palmas. ótimo. você vai aprender rápido. ele apontou pro livro que eu estava segurando e ele falou, isso aí é pra você guardar e poder olhar nele sempre que quiser pra se lembrar como são as letras.

o senhor tá me dando o livro?

isso mesmo. é seu.

apertei o livro de couro preto nas minhas mãos. e abracei ele bem apertado.

mas não perde.

o senhor acha que eu vou perder? não seja filho da puta.

mary!

desculpa. desculpa, seu graham. eu não queria dizer isso. saiu. é que eu sou muito impulsiva.

impulsiva.

é, impulsiva. eu levantei. obrigada, eu falei. obrigada. e fui embora da sala.

mary. a bandeja.

naquele dia de noite a edna e eu subimos lá pra cima na mesma hora. a vela ficou na caixa entre a gente. a edna foi pra cama e a cama fez barulho e eu peguei o meu livro.

não assopra a vela, eu pedi.

e botei o livro perto da luz pra olhar as letras de ouro dele.

o que que você tá fazendo?, a edna perguntou.

olha essa letra aqui. é um b. essa palavra é *bíblia*.

daonde você tirou esse livro? você roubou?

não. o patrão me deu.

eu abri a capa e olhei a primeira página bem perto da vela pra mim poder ver. tinha um monte de linha preta e uns pontos e marcas. mas eu procurei devagar até achar alguma coisa que eu conhecia. e eu achei um a. *a*.

e eu procurei mais nas linhas e achei mais três. *a*. *a*. *a*.

eu fechei o livro e assoprei a vela. o quarto todo tinha cheiro de vela. uma coruja piou lá fora.

dorme um pouco, a edna falou.

então eu fechei os olhos mas eu estava muito agitada. o meu coração estava batendo rápido demais. eu estava ali deitada mas a minha cabeça estava voando. não conseguia ficar parada. como uma abelha no verão.

no outro dia de manhã eu saí pra dar comida pras galinhas. o harry estava no jardim recolhendo as últimas folhas pra queimar.

bom-dia, eu gritei pra ele.

mas ele não respondeu e ficou me encarando.

eu joguei a comida pras galinhas e elas saíram correndo pra pegar.

terminou com o jardim?, eu perguntei. a edna me disse que o seu trabalho vai ficar tranquilo por um tempo.

o harry concordou. tudo já cresceu, ele falou.

caramba, eu falei. você fala.

ele balançou a cabeça e me deu as costas.

eu apontei pras batatas. posso levar umas lá pra dentro?

ele me deu um balde. e depois uma tigela de framboesa.

tá um dia bonito, eu falei. e botei uma framboesa na boca.

é mesmo?

olhei pro céu. tá sol, eu falei. só que tem uma nuvem cobrindo.

você nunca vê o lado ruim das coisas?, o harry perguntou.

eu vou ter bastante tempo pra pensar nisso, eu falei. depois de morrer.

ele balançou a cabeça e me deu as costas de novo. e foi pra casa de vidro.

harry, eu chamei.

o que é?, ele virou pra mim.

as framboesas tão gostosas.

tem que plantar menos, ele falou. só tem o pastor agora. vou plantar só algumas.

que pena, eu falei. você cuida bem delas.

ele concordou e quase sorriu. mas foi embora levando a pá pra esvaziar a casa de vidro até chegar a primavera.

eu estava na cozinha quando alguém bateu na janela e era a beatrice lá fora.

a edna estava lá em cima e então eu abri a porta.

é o vô, a beatrice falou. a mãe disse que é melhor você vim.

e eu mandei ela esperar e corri lá pra dentro. bati na porta do seu graham mas ninguém respondeu e então eu achei a edna. falei pra ela que eu estava indo na fazenda. e antes que ela pudesse dizer qualquer coisa eu desci a escada de novo e joguei o meu avental na cozinha e saí pra encontrar a minha irmã beatrice.

e a gente correu pela alameda. correu o mais rápido que conseguiu e chegou na fazenda.

a gente passou direto pelo pasto e pela varanda e entrou na cozinha. a mamãe estava lá e ela disse melhor você ir lá dentro. e elas ficaram na cozinha.

o meu vô estava no quarto das maçãs. na cama. tinha um cobertor em cima dele e a cara dele estava virada pro outro lado. então ele não me viu entrar.

eu não vou abrir os olhos, beatrice, ele falou, nem comer nem nada até ela voltar.

botei a mão no ombro dele. tô aqui, vô, eu falei.

ele virou pra mim. você veio? puta que pariu.

a beatrice foi me buscar, eu falei.

eu mandei ela ir, ele falou. faz tempo demais que eu não te vejo.

mas o que que o senhor tem?

nada.

nada? a mamãe mandou a beatrice atrás de mim. falou que ia ser sorte se o senhor vivesse mais uma semana.

eu sei, ele falou. eu falei tudo isso pra irem te buscar lá.

então a porta abriu e a mamãe entrou. como ele tá?, ela perguntou.

muito mal. eu vou ficar aqui sentada com ele um pouquinho.

certo, ela falou. vou deixar vocês aí.

a porta fechou e a gente colocou a mão na boca pra não rir alto.

tô com fome, ele falou quando parou de rir.

vou pegar alguma coisa pro senhor daqui a pouco. então como o senhor tá?

como eu tô? fodido. ninguém entra aqui e ri comigo. o seu pai fica horas fora. ele dá ainda mais trabalho pras garotas agora que você não tá aqui. a sua mãe corre dum lado pro outro fazendo de tudo. e tudo ficou pior ainda depois que o seu pai descobriu que a violet tá de barriga. ele grita que ela parece uma vaca prenha. o que que ela fez pra ficar assim?

o que toda mulher que tem bebê faz.

você tá muito avançadinha agora. e então como que é lá onde você tá morando agora? nem parece mais você. parece que é superior a nós. daqui a pouco vai estar falando tudo certo.

ah, não fode.

bem, como é lá?

eu passo o dia limpando um monte de coisa que vai sujar e precisar limpar de novo. eu tenho que encerar madeira e botar xícara com pires em cima de bandeja. e tenho que usar todo dia um avental branco limpo.

que perda de tempo. qual é o problema dele?

ele não tem nada melhor pra fazer, eu respondi. não tem que trabalhar de sol a sol.

era de se esperar.

mas ele me deu isso, eu falei. enfiei a mão no bolso e tirei o meu livro de lá. e mostrei pro meu vô.

mas você não precisa dum livro, ele falou.

eu apontei pras letras de ouro na capa. eu sei ler essa palavra, eu falei.

então você vai saber ler?

o seu graham tá me ensinando e eu vou saber ler.

pra quê?

pra saber. porque tem gente que sabe.

o meu vô riu. você não precisa de palavras aqui, ele falou. não tem nenhum livro pra ler aqui. só tetas pra puxar e cavalos pra guiar e ovos pra catar.

e ovelhas pra cuidar, eu falei.

e merda pra limpar, ele falou.

e colhões pra arrancar, eu falei.

agora chega, ele falou. você não pode falar desse jeito agora que vai ser uma dama.

eu nunca vou ser uma dama.

então você vai ler pra mim, é?

eu ainda só sei uma palavra.

o meu vô começou a rir. eu também.

é melhor você saber mais, ele falou, ou não vai dar pra você ler pra mim. vai ser muito chato ficar repetindo uma palavra só o tempo todo.

eu vou saber mais, eu falei. e quando eu saber, eu vou vim aqui e ler pro senhor. o senhor quer?

você vai fazer esse velho aqui ficar orgulhoso.

então é isso que eu vou fazer.

mas é melhor você correr porque eu tô cada vez mais velho.

não fala isso.

mas é verdade.

ele tentou se sentar e eu ajudei. e ele pegou na minha mão. mary, ele falou, pega alguma coisa pra mim comer.

o senhor devia estar morrendo. o que que eu vou dizer?

diz que eu fiquei tão feliz de te ver que o meu apetite voltou.

eu vou é dizer que fiz você aceitar a comida.

ou isso.

eu me levantei pra sair.

mary.

o quê?

faz um chá pra gente.

eu fiquei lá até quase ficar de noite. ajudei a mamãe com a manteiga e saí pro quintal pra ir embora. e foi quando eu vi a violet voltando de dar comida pro porco.

a barriga estava saindo pra fora mas o resto do corpo continuava magro que nem um varapau. e tinha o jeito dela andar que nem os patos em volta no quintal sem consegir mexer direito o quadril.

o que que você vai fazer quando ele nascer?, eu perguntei.

sei lá. eu falei pra eles que eu não sei de quem é. que foi com um dos meus namorados.

e o nosso pai acreditou?

eu acho que ele não teve muita escolha. ele falou que eu não posso ficar com o bebê. disse que a gente tem que se livrar dele.

e você vai?

e eu tenho escolha?

a violet olhou pra baixo e chutou uma pedra. ele falou alguma coisa?, ela me perguntou mas não me olhou.

o ralph?, eu perguntei.

é. ele.

ele foi embora, eu falei. pra fazer faculdade. eu contei pra ele.

ah.

a gente ficou parada lá por um tempo.

e ele falou alguma coisa sobre o bebê?

não.

ah.

eu tenho que ir, eu falei. cuida do vô.

tá.

eu fui embora. e a violet ficou lá parada e quando eu me virei antes da alameda fazer a curva ela ainda estava lá.

o seu graham me chamou no escritório dele de novo naquele dia de noite. a luz estava acesa e as cortinas grossas estavam fechadas. e a lareira estava acesa também. eu fechei a porta quando ele pediu. e me sentei na mesa.

você trouxe o livro?, ele perguntou.

eu tirei o livro do bolso do meu avental e botei em cima da mesa. eu abri e mostrei pro seu graham que eu tinha achado letras nele. olha, eu falei, eu sei o que que é isso.

ótimo. me diz de novo que palavra é essa.

bíblia.

excelente. agora a gente vai começar com a primeira linha do livro. a gente tem a palavra *no.*

e tinha muitas palavras ali. eu sabia que eram mais que uma porque o seu graham me mostrou que tem um espaço vazio que serve pra separar as palavras.

e você conhece alguma letra da próxima palavra?

i.

ótimo. essa aqui é *princípio.*

tem um monte de *i.*

muito bem. p. r. i. n. c. í. p. i. o. é assim que se escreve. *no princípio.*

naquela noite eu abri o livro de novo na luz da vela e li com o meu dedo passando devagar debaixo de cada letra. *no princípio.*

eu desenhei com o meu dedo na cama. fiz todas as letras pra elas ficarem bem guardadas na minha cabeça. porque eu não queria que elas fugissem.

eu assoprei a vela e a edna dormiu. só que eu não consegui dormir e fiquei desenhando as letras várias vezes com o dedo no lençol.

no princípio.

inverno

esse é o meu livro e eu estou escrevendo ele com as minhas próprias mãos.

agora é o ano do senhor de mil oitocentos e trinta e um e eu ainda estou sentada do lado da janela e ainda estou escrevendo o meu livro.

dá pra ver a minha cara refletida no vidro. o meu cabelo tão branco quanto a minha pele.

estou me inclinando pra frente porque o meu pote de tinta está bem na minha frente. e tem uma pilha de papel na minha esquerda.

e dá pra ver que eu tive que aprender todas as letras que eu estou escrevendo agora.

eu não gosto de contar tudo isso pra você. tem coisas que eu não quero dizer.

mas eu falei pra mim mesma que eu ia contar pra você tudo que aconteceu. eu disse que ia contar tudo e é por isso que eu tenho que ir até o fim.

o outono mudou pra inverno tão rápido que eu pensei que tinha perdido uns dias.

todo dia de manhã no escuro do quarto debaixo do telhado eu enfiava a minha roupa na cama e esperava até elas ficarem quentes pra mim poder vestir. a casa estava em silêncio e eu me levantei antes da edna acordar e antes do seu graham ter descido. e eu entrei no escritório e limpei a lareira. botei lenha nova e papel e acendi e depois fui pra cozinha e acendi a lareira de lá e tive que voltar pro escritório pra dar uma olhada no fogo e ver se já estava quente o bastante pra quando o seu graham acordasse. e então eu peguei a água quente pra ele se barbear antes de fazer o chá e o café da manhã.

as minhas mãos estavam começando a ficar rachadas e em carne viva.

eu tinha falado pra edna como estava frio e tinha pedido pra ela descer algumas vezes mas ela falou que eu já estava acostumada a acordar pra tirar leite todo dia e que eu já estava acostumada com o frio.

é, eu respondi, mas eu tinha a vaca pra me aquecer.

a porta da sala branca estava sempre fechada e a da sala de jantar estava sempre fechada então eu não tinha que acender as lareiras delas. a gente tinha coberto os móveis com lençóis. a gente botou calços nas portas pro ar não passar. a gente só usava a cozinha e o escritório e eu botava tapetes na frente das portas em cima do piso de pedra do corredor.

o seu graham comia sempre sozinho no escritório.

ainda estava escuro quando eu levantava e já estava escuro quando eu me deitava.

a cozinha ficava aquecida e a edna pegava no sono perto da lareira de tarde e eu me sentava num banquinho de madeira e descascava os legumes.

teve um dia que o seu graham foi embora ver o ralph. ele ficou longe por uma semana. a gente fez uma limpeza especial na casa toda e encerou tudo mesmo fazendo muito frio e a gente foi na igreja e limpou lá e as minhas mãos ficaram mais machucadas.

e chegou o dia que o seu graham voltou.

o cavalo com a charrete parou lá fora e a gente correu pra pegar as malas do patrão e a edna fez um café da manhã bem servido pra ele com bacon e fígado mesmo não sendo de manhã de verdade e eu levei tudo no escritório que estava quente com a lareira preparada pra ele.

bem-vindo, patrão, eu falei.

obrigado.

como tá o ralph?

o seu graham sorriu. ele está bem, obrigado. ele parece estar gostando dos estudos. você nem imagina como isso me alivia. e como ficou tudo por aqui?

a gente fez tudo que o senhor mandou.

ótimo. e o tempo?

frio que nem agora, mesmo tendo sol uns dias. acho que ele só saiu pra mostrar pra gente onde tinha faltado limpar.

que estranho. lá não fez sol. na verdade choveu todo dia.

ele pegou o garfo e a faca e começou a cortar o bacon. aí ele viu que eu não tinha ido embora. algo mais?, perguntou.

sim.

bem, pode falar, antes que os meus pés fiquem gelados.

eu fiquei pensando, seu graham. o senhor vai ter tempo pra me aprender mais?

ensinar. se eu vou ter tempo para lhe *ensinar* mais. eu ensino. você aprende.

então eu vou poder aprender mais?

ele disse que sim e sorriu. você é ansiosa, ele falou, vamos continuar mais tarde. de noite, vamos começar a escrever. é. a gente vai sim.

naquela tarde eu cortei couve e arranquei o fundo porque tinha congelado e deixei tudo pronto pra edna só que ela não foi na cozinha. eu fui no jardim e no lugar gelado que guardavam comida porque a edna podia estar pegando mais legumes mas ela não estava lá. eu subi a escada e subi a outra escada e entrei no nosso quarto. e encontrei ela sentada na cama no frio enrolada no xale e a caixa dela estava em cima da cama. eu perguntei se estava tudo bem.

eu vou indo, ela respondeu.

e eu perguntei o que que ela queria dizer onde ela estava indo.

embora.

por quê?

o seu graham falou que não precisa mais de mim. ele disse que agora a dona morreu e o ralph tá longe e não tem muito pra fazer que precise de nós duas.

tem sim.

ele disse que vai arrumar alguém pra ajudar com a limpeza pesada mas que ele não pode pagar nós duas. e ele me deu isso.

ela me mostrou o dinheiro que ele tinha dado e depois ela levantou e apertou o xale em volta do corpo. quando você chegou eu sabia. eu sabia que ele gostava mais de você do que de mim.

não é verdade, eu falei.

é sim. mas tudo bem. não é culpa sua.

e então ela foi embora e o quarto ficou vazio e eu fiquei sentada lá até começar a ficar escuro. e tive que descer pra cuidar das lareiras. ver se tinha fogo suficiente pra cozinhar.

e então eu cozinhei e deixei a lareira acesa e quando ficou de noite eu levei uma bandeja de comida pro escritório. e ele estava sentado na cadeira dele e me viu entrando.

ah, mary, ele falou, não precisa mais trazer a minha comida para cá. irei à cozinha comer com você. lá é quente e lhe poupa o seu tempo de ficar carregando bandejas de um lado para o outro.

aí eu levei a bandeja de volta e o seu graham me seguiu. e ele sentou na mesa de frente pra mim e começou a comer. custou um pouco pra ele olhar pra cima e ver que eu não estava comendo.

o que foi?, ele perguntou.

a edna falou que o senhor mandou ela embora.

ele largou o garfo e a faca. ah, ele falou, então é isso que está perturbando você.

ela não ficou feliz.

eu sei. mas o que eu fiz é simples de explicar. é uma questão de matemática. não dá para pagar por tantos empregados quando só tem eu nessa casa. vamos conseguir ajuda de fora quando precisarmos.

mas ela tava aqui tinha muito tempo, seu graham.

eu sei.

tinha mais tempo que eu. ela queria ficar aqui.

você está dizendo que você não quer?

não foi o que eu disse, eu respondi. aqui era a casa da edna.

ele juntou as mãos e sorriu. você não pode esperar que eu cuide dela a vida toda.

não posso?

não.

e ele pegou a faca e o garfo e começou a comer de novo mas eu não.

come, ele falou. por favor.

então eu botei a comida no meu prato mas não comi. ele acabou de comer e eu levei os dois pratos pela copa. e ele ficou me olhando.

imagino, ele falou quando eu voltei, que pareça injusto.

eu não respondi.

olha, você não vai sentar? você não comeu nada.

estou sem fome.

você tem que comer. ele balançou a cabeça e levantou. bem, ele falou, temos uma coisa para fazer, não é verdade? espera aqui.

ele saiu da cozinha e eu fiquei.

eu ouvi a porta do escritório dele abrir e fechar logo depois e ouvi os passos dele voltando pelo corredor de pedra e ele voltou pra cozinha com uma pena e um pote de tinta. tinha também uns papéis e um mata-borrão.

seria uma pena, ele falou, sairmos daqui que está tão quentinho. ele foi tirar o resto dos pratos da mesa e eu parei ele.

esse é o meu trabalho, patrão.

eu tirei eles e levei pra copa e limpei a mesa com um pano molhado e depois com um pano seco e ele botou os papéis na mesa.

aqui, ele falou, apontando pra cadeira do lado dele. senta aqui.

e eu sentei.

cadê o seu livro?

enfiei a mão no bolso do meu avental e tirei a minha bíblia de couro preto de lá. botei ela na mesa.

abre.

eu abri.

lê.

a cozinha toda estava em silêncio e as velas estavam acesas. e primeiro pareceu que os sinais pretos estavam se mexendo na página. e então eu botei o meu dedo debaixo das palavras e enquanto elas iam ficando paradas e eu ia falando uma por uma dava pra sentir o seu graham chegando perto de mim. ele parecia nem respirar. parecia desejar que eu lesse todas.

naquele dia de noite eu deitei na minha cama e a outra estava vazia.

o ar estava tão frio que eu via a respiração sair da minha boca. mas mesmo com o frio machucando o meu rosto e os meus braços e as minhas mãos e mesmo eu tremendo de frio eu sentei na cama com o livro. e li na luz da vela.

no princípio.

eu tenho que parar um pouco.

tenho que sacudir as minhas mãos e andar um pouco.

tenho que olhar lá pra fora pela janela e deixar a mente descansar de tanto estar pensando em tudo isso.

às vezes é bom ter lembranças porque elas são a história da nossa vida e sem elas não ia ter nada. mas tem vezes que a memória guarda coisas que a gente não quer nunca mais ouvir falar e não importa quanto a gente tenta tirar elas da cabeça. elas voltam.

eu vou continuar daqui a pouco.

no outro dia eu acordei cedo e a casa ainda estava fria e tinha frio nas paredes. mas estava chovendo e o gelo tinha derretido. eu desci a escada pra acender as lareiras. fervi água pra fazer chá. preparei tudo pra levar no escritório só que quando o seu graham levantou foi direto pra cozinha.

o senhor tá bem?, eu perguntei porque a pele dele estava branca que nem as folhas do meu livro.

estou sentindo um pouco os efeitos do clima, ele falou. e ele se jogou na cadeira.

quer que eu pego alguma coisa pro senhor?, eu perguntei.

não.

eu acendi a lareira do seu escritório pro senhor se barbear lá.

eu estou bem aqui, ele respondeu.

o senhor quer que eu sirvo o chá?, eu perguntei.

não, eu sirvo, ele respondeu.

o senhor quer alguma coisa pra comer?

não, obrigado. eu só preciso ficar quieto.

então eu vou deixar o senhor sozinho, eu falei. eu despejei farinha numa tigela e coloquei fermento e sal e um pouco dágua quente que eu tinha esquentado na lareira e comecei a misturar com a mão.

o seu graham ficou sentado lá um pouco e depois serviu o chá e bebeu metade da xícara. ele ficou me olhando por um tempo e depois levantou. volto mais tarde, ele falou.

eu perguntei, o senhor vai ver uma das velhas da igreja?

mas ele não respondeu. saiu rápido da cozinha.

e foi embora.

eu puxei a massa que tinha grudado em cada um dos meus dedos e cobri a tigela e deixei descansando perto do fogo pra crescer. então eu fiz uns doces e peguei uma lebre que estava pendurada tinha uns dias e arranquei a pele e cortei e cozinhei a lebre num molho a manhã toda.

• • •

mais tarde eu saí e colhi três alhos-porós e eles saíram fácil onde não tinha mais gelo. e peguei umas batatas na sala gelada da comida. e fiquei parada do lado de fora dela e vi que estava ficando de noite e que ainda nem sinal do seu graham.

eu cozinhei as batatas e os alhos e botei os pratos pra esquentar porque eles estavam muito gelados na copa e só então ouvi a porta de trás abrindo e ele entrando na cozinha.

a comida está pronta?, ele perguntou.

daqui a pouco, eu respondi. o senhor tá bem?

ele bateu palma e esfregou uma mão na outra. estou, estou bem, sim. obrigado. ele cheirou o ar. que cheiro bom, ele falou. acho que eu vou comer aqui de novo hoje de noite.

e a gente sentou. mas antes de eu dar uma garfada na comida, o seu graham me parou.

vamos dar graças, ele falou.

ele fechou os olhos e juntou as mãos e disse obrigado, senhor, pelo alimento que estamos prestes a receber.

eu ouvi ele falando e pensei no dia inteiro que eu passei cozinhando e colhendo alho-poró na chuva.

por quê?, eu perguntei. por que a gente tem que agradecer a deus se é eu que saí e peguei a comida e cozinhei?

mary, ele brigou. e tentou me fazer parar mas eu continuei.

e vai ser eu que vou limpar tudo depois de comer?

ele riu. você não passa de uma pagã.

e comeu tudo que eu servi pra ele e me pediu mais e comeu. e depois empurrou o prato.

a lareira está acesa no meu escritório?, ele perguntou.

tá, sim, senhor. acendi cedo porque pensei que o senhor ia voltar.

ótimo. você leva o chá?

e ele foi embora. eu levei os pratos pra copa e botei a água pra ferver e aprontei a bandeja. bule. filtro. xícara. pires. leiteira. colher. direitinho. do jeito que tinham me ensinado.

eu carreguei a bandeja até o escritório. a porta estava fechada. baixei a bandeja no chão e abri a porta. e peguei a bandeja e entrei. e botei ela em cima da mesa.

fecha a porta, o seu graham falou.

eu fechei.

senta, ele falou.

eu sentei.

eu vou lhe dar uma aula agora.

agora?, eu falei. eu nem terminei de limpar.

você limpa depois. vem cá. cadê o seu livro?

eu peguei ele e botei na minha frente.

onde estávamos?, o seu graham perguntou.

o senhor tava fazendo mais umas palavras, eu respondi.

ah, claro, eu estava. e ele limpou a garganta. vem, traz a sua cadeira para cá. não dá para trabalhar assim, vendo o texto de cabeça para baixo.

e então eu peguei a minha cadeira e levei pro outro lado da mesa. e sentei do lado dele.

bem melhor, ele falou. agora olha para esse formato. você tem que lembrar dessa letra como uma serpente. sssss. começa com a pena em cima e a linha faz uma curva. assim. *s*.

e foi aí que eu senti a perna dele encostando na minha e cheguei pro lado. mas não tinha espaço suficiente atrás da mesa com as duas cadeiras ali. só que a perna dele me seguiu e encostou na minha de novo.

vem cá, ele pediu. desenha ela outra vez. faz uma linha inteira dela até a sua mão não poder mais esquecer como é que se faz.

e eu senti a mão dele no meu joelho.

eu não consigo respirar enquanto escrevo isso e vou até a janela e tento abrir pro ar entrar mas eu não consigo e então eu apoio a cabeça nas minhas mãos e nas minhas folhas de papel.

eu me deixo descansar num sono rápido e escuro.

mas eu acordo e tenho que continuar.

eu não sabia o que estava acontecendo nem por quê. e eu disse pra mim mesma pra não perder o controle e não dizer nada porque aquilo podia ter sido só um toque entre duas pessoas. e se eu dizesse alguma coisa podia parecer idiota.

mas a mão dele começou a subir e descer na minha perna e eu tenho vergonha de dizer isso mas eu não me mexi.

eu não sabia o que fazer.

quais são as próximas letras?, ele perguntou. ele falou, concentra e me fala o que que isso diz. e eu não me mexi.

e eu falei pra ele qual era a próxima letra e as outras e ele falou pra mim escrever todas elas pra não esquecer.

e eu escrevi.

e enquanto eu escrevia a mão dele passava na minha coxa e a pena afundava na tinta e riscava o papel. e eu baixei a pena quando terminei de escrever e falei, agora eu tenho que ir porque eu tenho muito trabalho, e eu pulei da cadeira.

eu levei a cadeira pro outro lado da mesa e peguei a bandeja. e ele falou não, pode deixar aí.

então eu deixei.

eu saí do escritório e fechei a porta.

naquela noite eu não consegui dormir. eu não consegui fechar os meus olhos.

no outro dia de manhã eu estava cansada e não queria levantar da cama por causa do frio e também porque eu não queria ir lá pra baixo. mas eu levantei e desci e entrei na cozinha e acendi o fogo. e botei a água pra esquentar. e fui no corredor e estava quase indo no escritório limpar a lareira e botar lenha nova quando o seu graham desceu a escada mais cedo que os outros dias. eu não olhei pra ele. fiquei de cabeça baixa e corri de volta pra cozinha.

mas ele me seguiu.

não tem água quente e a lareira não tá pronta, eu falei.

tudo bem.

espera aqui que eu arrumo tudo, eu falei.

e corri pra acender a lareira e me ajoelhei pra tirar as cinzas e coloquei a lenha nova devagar e acendi e esperei até o fogo pegar e botei mais um pouco de lenha e então voltei pra cozinha e disse pro seu graham que a lareira estava pronta. e ele entrou no escritório.

eu fervi água e levei pra ele e fiz o chá e levei o café da manhã no escritório antes dele ter chance de ir comer na cozinha e fechei rápido a porta.

então eu arrumei muita coisa pra fazer e pra mim ficar ocupada. fiquei feliz porque sem a edna tinha tudo que ela fazia pra mim fazer também. e apesar de só ter eu e ele as lareiras queimavam igual e gastavam lenha igual e o chão ficava tão sujo quanto antes.

naquele dia ele saiu pra ir na igreja e visitar gente e eu fiz ensopado com uns nabos e umas cenouras e juntei com a lebre que sobrou. de noite a gente comeu junto na cozinha. e quando ele acabou falou, vou ao escritório para lhe dar outra aula.

a gente não pode ficar aqui?, eu perguntei.

ele fez que não. não. os livros estão todos lá.

por favor. aqui tá mais quente.

ele levantou. você tem que ir no escritório, senão, ele falou, não vai ter aula e você não vai saber ler nem escrever e eu sei que você quer.

eu sei o que você está pensando.

não vai, você está pensando. não entra lá.

mas eu entrei.

• • •

eu deixei a chaleira ferver e aprontei a bandeja. fiquei olhando as folhas do chá espalhando cor na água.

eu tampei a chaleira. botei na bandeja. botei a xícara na bandeja.

eu peguei a bandeja.

e levei no escritório.

e fechei a porta quando eu entrei como o seu graham mandou. e vi que a minha cadeira estava do lado da cadeira dele. e sentei na cadeira do lado da cadeira dele. e esperei ele abrir o meu livro.

ah, claro, ele falou. a gente parou aqui. agora eu quero que você leia essa frase toda e depois você pode tentar copiar.

e então o seu graham pegou um caderno velho.

isso é para você escrever nele, ele falou. vai ficar aqui para você praticar o que precisar. se você continuar assim, logo vai estar escrevendo e lendo. você aprende rápido. está indo realmente muito bem. bom. pode começar, mary.

e então eu passei o meu dedo debaixo das palavras e fui juntando as letras devagar. e o seu graham me mostrou que quando tem um pontinho é pra dividir as palavras em frases. eu li elas em voz alta.

e o tempo todo a mão dele estava na minha perna.

e eu acabei de ler em voz alta e estava na hora de copiar. o seu graham trouxe o pote pra mais perto e eu molhei a pena na tinta e deixei um pouco dela pingar de volta no pote porque era muita. e encostei a pena no papel e fiz as letras devagar e as letras fizeram palavras. e nisso o seu graham passou o outro braço em cima do meu ombro. que nem um xale me esquentando.

o fogo chegou na grade da lareira e um graveto saiu. eu ia levantar pra ver se tinha saído alguma faísca mas o seu graham me empurrou de volta pra minha cadeira.

deixa que eu ajeito, ele falou. continua.

e eu continuei.

e ele levantou e jogou outra lenha no fogo. e voltou a sentar. e o braço dele voltou pra cima do meu ombro.

então quando eu terminei de fazer as letras ele falou, olha só o que você fez. como você é boa nisso. e ele botou a mão no meu queixo e me virou pra ele e encostou a boca na minha e ele tinha cheiro de fumo e chá e aquele bigode machucava e então ele abriu a boca e eu senti a língua dele entrar.

eu preciso parar um pouco. respirar.

e o seu graham fechou o meu livro de couro preto e pegou a minha mão com as duas dele.

eu sei que isso é errado, ele falou. mas eu estou tão sozinho.

ele não olhou pra mim. eu não olhei pra ele. eu não sabia o que fazer e então fui fechar o caderno e me levantar.

não, ele falou. você tem que passar o mata-borrão primeiro, senão a tinta vai manchar a outra página.

o seu graham me ensinou a botar o mata-borrão na folha e deixar ele chupar a tinta no fim das letras.

aí ele tirou o caderno da minha mão. eu tentei pegar de volta mas o seu graham não deixou.

é meu, eu falei. o senhor me deu.

mas é pra ele ficar aqui, ele respondeu, que é onde você vai ter aula.

e se eu não venho pras aulas?

então você não vai saber ler nem escrever.

a gente ficou um tempo ali sentado em silêncio. só tinha o som da lareira e do lampião. das paredes de madeira e da gente respirando.

entende?

eu fiz que sim. e falei, sim.

o seu graham sorriu. ótimo. é bom quando duas pessoas concordam.

de noite eu deitei na minha cama com o corpo todo tenso e apesar de eu ter prometido pra mim que ia ficar acordada até o sol aparecer eu estava tão cansada por não ter dormido na outra noite que eu apaguei de barriga pra cima mesmo.

e a primeira coisa que eu senti foi uma coisa na cama.

de tanto sono eu achei que era a edna indo na cama dela e que era o colchão de pena suspirando mas aí eu senti uma pele na minha. e então eu soube. tinha alguém na cama. e pensei que era a beatrice. que ela estava na cama comigo mas não estava.

e eu ouvi a voz. ele estava rezando. pedindo perdão. e eu senti o braço dele em volta de mim.

ele deitou do meu lado. e só. nós dois na mesma cama.

eu estou falando a verdade.

se não era pra falar a verdade pra você por que eu ia contar tudo isso?

• • •

eu até dormi um pouco mas foi aquele sono que a gente não dorme direito. aí eu acordei e senti que o seu graham estava na cama comigo e dava pra sentir a respiração dele profunda e lenta e apesar do frio eu não botei as minhas roupas na cama pra esquentar. eu levantei e me vesti e sem olhar pra ele saí rápido do quarto.

lá embaixo eu arrumei as lareiras e acendi. e então fervi água.

quando o seu graham desceu ele estava vestido e pronto pra passar o dia. olhou bem pra mim mas eu não olhei de volta.

vou tomar café da manhã na cozinha hoje, ele falou.

e foi o que ele fez.

tomou café e foi no escritório e se fechou lá pra escrever o sermão do outro dia na igreja. e eu sabia que não era pra incomodar porque ele sempre tinha dito que precisava de tempo pra pensar. então eu fiz tudo que eu tinha pra fazer e cozinhei e peguei legumes e lavei e descasquei e cortei. e ouvi a porta abrindo e o seu graham saindo. fiquei parada na porta aberta e ouvi quando ele falou pro harry não incomodar porque ele tinha muito que escrever. então ele pegou o cavalo no jardim e foi embora fazer visita. e eu ouvi a porta de novo quando ele voltou de noite. ele entrou na cozinha mais tarde e a gente comeu junto. e depois eu levei o lampião pro escritório onde eu tinha acendido a lareira e a gente sentou nas duas cadeiras.

e o seu graham chegou perto e fez aquilo comigo de novo. aquilo que a língua dele tinha gosto de fumo e parecia fígado de carneiro na minha boca.

daí ele abriu o meu livro e perguntou onde a gente estava?

e eu mostrei pra ele e ele abriu o caderno e me ajudou a ler o que eu tinha escrito no outro dia. e ele me ensinou uma letra nova que eu nunca tinha visto antes. e eu li algumas letras e escrevi.

e sim a mão dele estava na minha perna. e sim o braço dele estava no meu ombro.

e sim ele passou a mão fria debaixo da minha blusa.

quando eu acabei já sabia todas as letras que tinha no livro e eu deixei o seu graham lá e subi pro meu quarto. subi na cama de roupa e tudo e apaguei a minha vela. e fiquei quieta.

eu ouvi um barulho na escada que parou. o meu coração parecia que ia parar também. então eu ouvi outro passo. e outro. eu ouvi a maçaneta virando e a porta abrindo e fechando. as tábuas do chão rangendo no quarto. e eu senti o peso na cama e com os olhos fechados vi que tinha luz. eu abri os olhos. tinha uma vela no quarto e o seu graham estava tirando a roupa. a pele dele era branca e eu fechei os olhos.

ele levantou a coberta e me fez ir pra mais perto da parede e deitou do meu lado.

ele me abraçou e pôs a língua na minha boca. e passou a mão em mim. e foi descendo pras minhas pernas.

espera.

tem um motivo pra mim dizer tudo isso pra você.

você vai entender.

• • •

ele passou a mão debaixo da minha saia e eu empurrei ele mas ele fez de novo. e afastou uma perna minha da outra e enfiou a mão no meio delas.

e os dedos. lá dentro.

eu tentei falar mas ele falou, shhh, e apagou a vela.

ele subiu em cima de mim e forçou com o joelho pras minhas pernas ficarem abertas e ele estava colado em mim. e ele se forçou pra dentro de mim.

e doeu.

mas eu não gritei.

ele estava suando e ofegante. mas aí virou pro lado e pegou no sono.

eu não.

e de manhã eu empurrei a cabeceira pra sair da cama e vi o sangue e vi a minha saia coberta de sangue. levei ela pra cozinha e queimei na lareira.

e dali pra frente foi assim que a gente viveu. todo dia de manhã eu levantava da cama primeiro e descia a escada. eu acendia as lareiras e o seu graham descia quando já estava mais quente. ele tomava o café da manhã na cozinha. nos domingos ele ia na igreja e me pedia pra ficar em casa e fazer a janta dele. nos outros dias ia gente visitar ele ou ele ia visitar gente. nos sábados ele ia no escritório escrever de porta fechada e tinha uns dias que ele saía pra andar ou ficava vendo os pássaros pela janela. depois desenhava eles e escrevia os nomes ou o que eles estavam fazendo.

o harry ia lá toda semana pra cuidar do jardim e cavar no chão e olhar a casa de vidro. e ia todo dia no estábulo mas sabia que não era pra entrar dentro da casa.

e se eu tinha um tempo de descanso eu sentava na mesa da cozinha e olhava pro meu livro preto e via o que eu tinha aprendido.

e então todo dia de noite eu sentava junto com o seu graham na cozinha e a gente comia.

e todo dia de noite a gente ia no escritório e eu molhava a pena na tinta e escrevia palavras.

e todo dia ele me seguia pela escada e deitava comigo na cama. e enfiava o joelho no meio das minhas pernas até que eu comecei a abrir elas porque assim eu não ia estar machucada de manhã.

e em todas aquelas semanas eu aprendi mais letras até eu saber todas as vinte seis. até eu saber escrever todas. eu estava começando a aprender mais palavras e elas estavam começando a combinar com as palavras na minha cabeça.

passaram as semanas e foi um inverno tão difícil que tinha gelo no vidro das janelas por dentro e eu não conseguia ver lá fora até acender as lareiras.

e no quarto eu só ia quando estava escuro e tinha gelo nos vidros e então eu não conseguia nunca olhar lá fora. aí eu coloquei um lençol fino na janela e mais um cobertor na cama.

e teve um dia que eu ia levantar da cama e o seu graham me puxou de volta e eu dormi de novo no calor da cama. quando eu acordei tinha luz e eu estava com frio e eu vi que ele tinha puxado a coberta e estava me olhando.

eu saí da cama o mais rápido que eu pude e me enfiei nas minhas roupas e desci correndo a escada.

quando eu estava acendendo a lareira da cozinha teve uma batida na porta de trás e eu atendi. era a hope. ela estava sorrindo e me disse que a violet tinha tido o neném.

e me disse que eles passaram a noite esperando e quando ele nasceu ele chorou.

que eles enterraram o cordão umbilical embaixo do freixo pra ele ter uma vida boa.

e que era um menino.

com o cabelo da cor do meu.

da cor do leite.

a hope foi embora e eu voltei pra casa e fiquei pensando neles lá na fazenda e em como o bebê devia chorar de noite e que se eu estava lá ia acordar pra ir cuidar dele e abraçar ele. fiquei pensando em como eu tinha que estar lá e não naquela casa que não tinha a minha família. eu queria ir na fazenda pra ver o bebê mas não dava porque eu estava cheia de serviço e então eu sosseguei a minha cabeça e fiz o meu trabalho.

e não demorou muitos dias pra mim ver a minha família indo na igreja pela alameda. a mamãe carregando o bebê nos braços. a beatrice e a hope e a violet atrás. e me deixaram segurar ele no colo enrolado no xale e os dedos dele enroscaram nos meus. ele abriu os olhos. e olhou pra mim.

a gente entrou na igreja e o seu graham fez uma bênção e jogou água na cabeça dele. e depois a gente passou ele de mão em mão. até que a mamãe pegou ele. vem cá, ela disse, vem com a mamãe.

eu olhei pra violet. ela não olhou pra mim.

e eles falaram que tinham que voltar pra fazenda pra tirar o leite das vacas. e eu tive que olhar eles indo embora pela alameda dali da frente da igreja até eles sumirem da minha vista.

voltei devagar pra casa. o seu graham estava sentado na cozinha perto da lareira lendo um livro.

ele olhou pra mim quando eu entrei. já foram embora?

foram.

é ótimo você finalmente ter um irmão, ele falou. o seu pai deve estar radiante.

eu não respondi. só baixei a cabeça de novo e peguei farinha e fermento pra fazer o pão. aí o seu graham me falou que recebeu uma carta do ralph e falou que ele ia voltar pra casa por um dia porque no outro dia de noite era natal.

então eu limpei o quarto do ralph e deixei o ar entrar e encerei a madeira da cama. e preparei tudo pra ele chegar. fiz o pão e um bolo e deixei tudo pronto.

e o seu graham estava ocupado na igreja e tinha que ver muita gente.

naquele dia de noite ele me deu aula e eu li pra ele. depois ele me seguiu pela escada. ele tirou a roupa na luz da vela e deitou na cama comigo. ele me abraçou e eu abri as pernas mas não era isso que ele queria.

ele começou a chorar. e pela primeira vez desde que ele começou a ir no meu quarto a gente conversou.

por que o senhor tá chorando?, eu perguntei.

eu me sinto tão culpado.

então não sobe aqui. se o senhor se sente culpado é porque isso é errado. então é só não fazer mais.

mas isso tem me deixado tão feliz.

então quer dizer que isso faz o senhor se sentir culpado *e* feliz?

é.

e não dá pra ter um sem o outro?

não.

então não sobe aqui. assim o senhor não vai se sentir culpado.

mas eu quero ficar feliz. ah, mary, ele falou, não vamos ficar andando em círculos a noite toda.

a verdade, eu falei, é que o senhor não quer falar honestamente sobre o que acontece aqui.

eu acordei tarde no outro dia e então tive que correr pra acender as lareiras e esquentar a água. fiz o café da manhã e comecei a cozinhar o pernil. e ouvi a charrete parando lá fora e ouvi uma voz e uma batida na porta de trás. e um grito quando ela abriu. e o ralph entrou na cozinha.

mary, ele falou com uma voz viva, sentiu saudades?

não, eu respondi. com uma voz morta.

eu sei que você sentiu. o meu pai me escreveu contando que você vai cuidar sozinha da gente hoje de noite.

vou.

vamos ver como é a sua comida.

foi pra isso que você voltou? pra ver como é a minha comida?

ele riu. claro que não.

ele me olhou por um tempo e depois perguntou como andava a minha família.

se eu tivesse um dia de folga, eu respondi, eu podia ir na fazenda e ver mas eu não tenho porque o seu pai quer que eu cuido de tudo sozinha por aqui.

eu sei. ele me escreveu contando.

mas tem uma novidade, eu falei. e eu olhei bem pra cara dele quando falei. a violet teve o neném. é menino. mas eles tão dizendo por aí que é a mamãe que teve ele.

ah.

e eu acho que ele parece bastante com você, eu falei.

bebês são todos iguais, ele falou.

não são não.

eles têm cabeças redondas e dois olhos e uma boca.

mas os olhos e as bocas dizem muito.

você viu ele, então?

vi. o papai ficou com ele porque é menino.

então ele vai ficar na fazenda?

você parece desapontado, eu respondi. não queria que ele ficasse?

não.

mas se ele não tem nada a ver com você o que que isso importa?

mary. você não muda. eu nem cheguei direito e você já está me armando uma cilada. você adora uma cilada.

foi aí que o seu graham entrou na cozinha.

ralph, ele falou. e os dois deram um aperto de mão. como foi de viagem?

passou rápido. já cheguei.

mas você tem mesmo que ir embora amanhã?, o seu graham perguntou.

o ralph me olhou. eu nem cheguei e ele me pergunta quando eu vou embora. quer se livrar de mim, pai?

não fala besteira, quero que você fique. por isso eu estou perguntando quanto tempo você pode ficar.

então vamos lá no seu escritório botar a conversa em dia, o ralph falou. mary, leva um chá pra gente.

foi o que eu fiz. levei o chá pro escritório onde eles estavam juntos e cada cadeira do seu lado da mesa. joguei mais lenha na lareira e fui embora.

acendi a lareira da sala de jantar e abri as cortinas e tirei os lençóis da mesa pra eles comerem o pernil nela. de tarde eles caminharam juntos e de noite eles comeram na sala de jantar e beberam chá no escritório. e então eu tive que acender todas as lareiras.

e eles foram na igreja meia-noite. os sinos todos tocaram alto. e eu também fui mas eu tive que voltar correndo no frio pra cuidar das lareiras dos quartos deles. e eu voltei pra cozinha e apaguei o fogo. peguei a minha vela e subi a escada pra minha cama.

e eu dormi sozinha e eu dormi bem.

no outro dia de manhã eu levantei cedo porque tinha muito serviço pra uma pessoa só e eu acendi as lareiras e esquentei a água e comecei a fazer a janta e então o ralph entrou na cozinha e sentou perto da lareira. ele ficou me olhando arrumar a bandeja do chá e cozinhar rins.

o meu pai disse que você é uma ótima aluna, ele falou.

disse?

é. ele falou que já te ensinou o alfabeto todo e que você até já consegue ler umas palavras.

é, eu respondi.

é uma conquista e tanto pra uma garota de fazenda.

ah, é?

claro que é. mary?

o quê?

tudo bem? você está mais calada que o normal.

tudo bem, eu respondi.

alguma coisa mudou.

não mudou nada, eu falei. e então eu saí da cozinha e fui pra copa pro ralph não ficar me olhando ou me enchendo de pergunta.

ele me ajudou a manter a lareira acesa na sala de jantar e no escritório. eu servi a janta na sala de jantar e fui pra cozinha e comi sozinha perto da lareira.

e pensei na patroa. lembrei de como ela botava a mão no meu cabelo e me fazia cafuné.

e então o seu graham e o ralph voltaram na igreja enquanto eu estava tirando a mesa e eu lavei os pratos e os copos e as panelas e eu limpei o chão e recolhi as últimas penas do peru na copa onde eu tinha depenado ele.

e no outro dia o ralph foi me ver pra dar tchau e falou que a gente se via da próxima vez que ele voltasse pra casa. enquanto eu não estiver aqui, ele falou, cuida do meu velho pra mim. vê se ele tem tudo que precisa porque ele está vivendo cada vez mais feito um indigente sem ajuda nenhuma.

e foi embora.

e voltou a ficar só eu e o seu graham na casa.

então veio a hora do ano mudar de mil oitocentos e trinta pra mil oitocentos e trinta e um.

e esse é o ano que eu estou escrevendo tudo isso.

e logo veio o sexto dia do ano e era hora de dar a bênção nos arados. e então eu e o seu graham fomos na igreja de manhã. e eu vi o meu pai chegar pela alameda e com o arado e o cavalo e eles soltaram o arado e entraram com ele na igreja junto com os outros da aldeia. e eu entrei também e sentei num dos bancos de onde dava pra mim ver o papai e a mamãe e a violet e a beatrice e a hope. e a mamãe estava com o bebê no colo.

quando eles foram embora eu fiquei na igreja com o seu graham e ele me mandou abrir a bíblia grande numa página qualquer.

eu abri.

ele me mandou ler a página que eu tinha aberto.

eu corri o meu dedo pelas palavras e fui falando uma letra de cada vez e eu comecei a ir mais rápido e fui falando as palavras em voz alta enquanto ia lendo. eu levantei a voz e percebi que estava lendo mais rápido e nem precisava mais botar o dedo debaixo das letras.

e eu me imaginei escrevendo aquelas palavras e tive certeza que a minha mão ia conseguir desenhar cada uma.

mary.

o quê?

as palavras que você acabou de ler. a bíblia está lhe dizendo para abrir o seu coração e se doar.

mas eu não tenho mais nada pra oferecer, eu respondi. eu dei tudo que eu tinha.

eu me virei e saí da igreja e andei de volta pra casa.

eu entrei pela porta de trás e andei pelo corredor de pedra e abri a porta da sala branca e fechei atrás de mim e eu olhei em volta e olhei os lençóis em cima das cadeiras e da mesa. e abri as cortinas azuis e olhei lá pra fora e pras árvores sem folhas e pro gelo cobrindo a grama onde ela ainda estava branca. porque estava sol mas ele não chegava no mato debaixo das árvores.

estava frio na sala e o frio entrou pela minha pele.

e eu me virei pra parede e olhei os livros. e lembrei da primeira vez que eu tinha entrado ali e de como eu nunca tinha visto um lugar como aquele.

fui nos livros e peguei um. segurei ele e olhei a capa e abri com cuidado. tinha páginas com lenços cobrindo pra proteger os desenhos e eu olhei as palavras e percebi que eu conseguia entender tudo e virei página por página só pra ter certeza que eu conseguia ler mesmo devagar. onde antes tinha uma confusão de linhas pretas agora tinha letras. e palavras. e frases.

então eu fechei o livro.

eu tive certeza que estava feito.

eu sabia ler e sabia escrever.

estava feito.

naquele dia de tarde o seu graham entrou na cozinha e ficou parado me olhando trabalhar. aí teve uma batida na porta de trás. quando eu fui atender ele foi no escritório pra ninguém ver ele conversando com a empregada. era a mamãe. tinha levado um queijo que ela me entregou.

é pra ele, ela falou. mas fala que ele ainda tá devendo o outro.

eu peguei e levei pra copa.

a senhora tá bem?, eu perguntei. o bebê parece estar.

ele tá comendo bem.

como vai o vô?

vivo ainda.

diz pra ele que eu tô tentando ir na fazenda pra visitar. só que tem muita coisa pra fazer aqui.

melhor eu voltar, ela falou. teu pai tá esperando.

e foi embora.

e eu fechei a porta.

e fui pra copa cortar o queijo novo com o fio de arame e lembrei do que a mamãe tinha dito uma vez que a primeira pessoa que experimenta um queijo novo vai ter um bebê. e então eu cortei o queijo em fatias e as fatias em pedacinhos. mas tomei todo cuidado pra não comer nenhum. eu enrolei o fio e botei no bolso. botei uns pedaços do queijo num prato e cortei um pão novo e abri um pote de molho picante.

eu deixei tudo pronto pra comer e botei uma rede em cima. aticei a lareira e sentei perto do fogo um pouco. só que eu não aguentava mais ficar naquela casa. então eu saí e andei pelo jardim e pelo cemitério da igreja. e sentei numa das tumbas e fiquei pensando neles lá na fazenda e eu ali. pensei no bebê. e no meu vô e na mamãe e nas minhas irmãs. pensei que se eu não voltasse logo ia esquecer tudo de lá. e pensei que eu tinha lido em voz alta sem nem ter que botar o dedo debaixo das palavras.

e que eu não devia ficar fora da casa por muito tempo mas eu não conseguia voltar. e então o seu graham saiu da casa e deu pra ouvir ele chamando o meu nome.

e ele me achou.

achei que você não ia voltar mais, ele falou.

eu não respondi.

está um frio de rachar aqui, ele falou. vai ter uma boa geada de noite. vem, entra.

e ele tentou pegar o meu braço mas eu não deixei e andei pra casa na frente e ele foi seguindo.

entrei na cozinha e fui botar lenha na lareira.

já botei, ele falou. achei que era bom preparar o fogo pra você cozinhar para nós de noite.

eu não respondi de novo e passei por ele e fui pra copa e tirei a rede de cima do pão com queijo e molho e dei pra ele.

ah, ele falou. não tem comida de panela?

eu não respondi. deixei tudo lá e saí da cozinha. e subi a escada. tirei o meu vestido e o meu avental e botei de volta o vestido que eu estava usando no dia que eu tinha chegado lá. ele nunca tinha sido lavado e então eu encostei o meu nariz nele pra sentir o cheiro da fazenda e botei de volta o avental que eu tinha tirado.

eu sentei na minha cama por um tempo até ficar de noite e o quarto escurecer. então eu tive que tatear pra achar o caminho pela escada. o seu graham ainda estava sentado na mesa da cozinha com as velas acesas.

mary, ele falou. vem cá. você está estranha.

eu peguei uma jarra dágua pra lavar os pratos.

não vai mais falar comigo?, ele perguntou. fala comigo, eu estou mandando.

então eu me virei pra ele. tá mandando?, eu perguntei.

é, estou.

e eu falei, o senhor pode até pagar por mim e me obrigar a ficar aqui mas não pode me mandar fazer tudo que gosta.

eu sei que parece que eu estava calma mas eu não estava. o meu coração batia tão forte que parecia querer ir embora de mim. as minhas mãos tremiam tanto que eu deixei cair um copo mas consegui apanhar ele antes de bater no chão.

mary, ele falou. você normalmente é uma presença tão agradável, tão positiva.

eu sei, eu respondi. era disso que a sua mulher gostava, né? por isso que ela me queria aqui.

por que você está agindo assim?, ele perguntou. a gente tem sido feliz.

e eu falei, não. o senhor tem sido feliz.

ele afastou o prato. fala comigo.

não. tô cheia de tanta conversa e tô cansada.

você ainda trabalha pra mim.

olhei nos olhos dele. dá pra notar, eu respondi.

peguei os pratos e levei pra copa e lavei. quando eu voltei pra cozinha o seu graham ainda estava na mesa.

faz um chá?

tá.

leva no meu escritório e põe duas xícaras na bandeja.

ele saiu e eu ouvi os passos dele no corredor de pedra. e a porta do escritório abrindo e depois fechando.

eu fiz o chá pra ele. joguei a água nas folhas e elas se separaram e desenrolaram.

mas eu não botei duas xícaras na bandeja.

levei o chá no escritório e botei em cima da mesa.

e quando eu me virei pra ir embora o seu graham chamou. mary. eu parei. preparei uma aula.

não dá, eu respondi. eu tenho que ir terminar o meu trabalho.

mas você trabalha para mim e eu sou o seu patrão e estou lhe pedindo para parar.

eu balancei a cabeça. acho que o senhor não entendeu ainda, eu falei. eu sei ler e escrever tudo que eu preciso agora.

você ainda tem muito que aprender.

mas o que eu sei é suficiente pro que eu quero.

e o que seria?

ainda não sei, eu respondi, mas um dia eu vou saber.

você sabe que não pode ir embora daqui, o seu graham falou, se é isso que você está pensando.

o senhor não sabe nada do que eu tô pensando, eu respondi. agora dá licença que eu tenho que trabalhar.

e eu saí.

eu fui e acabei os trabalhos. e peguei a vela e subi a escada e a outra escada e entrei no quarto. tinha frio nas paredes e no colchão. como se cada pena da cama estivesse congelada, cada tábua do chão coberta de gelo.

deitei na cama de roupa e tudo e esperei toda enrolada enquanto o calor do meu corpo passava pras cobertas.

depois de um tempo eu comecei a me aquecer e apaguei a vela e fiquei ali deitada.

não demorou muito pra mim ouvir os passos na escada. subindo. depois silêncio. depois mais passos.

eu sabia de quem eles eram.

eu sabia o que aquilo queria dizer.

a maçaneta virou devagar. eu levantei da cama e tentei fechar a porta na cara dele mas ele forçou pra abrir a porta e me empurrou na parede. e ele entrou no quarto e fechou a porta e botou a vela dele em cima da caixa e me jogou na cama. e subiu em mim e eu não conseguia me mexer.

o que foi?, ele perguntou. eu fui mau com você? eu trato você bem, não trato? eu a protejo.

eu não quero mais ficar aqui, eu respondi.

você nunca reclamou antes.

ele enfiou a mão debaixo da minha saia e tentou enfiar ela no meio das minhas pernas mas eu deixei elas bem fechadas. ele tentou enfiar a língua na minha boca mas eu fechei ela também.

não me obriga a fazer isso, mary, ele pediu. e abriu as minhas pernas e botou o joelho em cima da minha perna doente pra mim não conseguir me mexer. eu senti o ar frio entrar em mim.

não, por favor. não, eu implorei.

mas ele prendeu os meus pulsos e forçou com o joelho até as minhas pernas abrirem mais e abaixou a calça. e entrou em mim.

e doeu.

e quando ele acabou estava suando e respirando mais devagar. ele me abraçou. me desculpa, ele falou. eu não queria machucar você. você não devia ter resistido para eu não machucar você, entende?

eu não respondi. só fiquei lá. parada. dura.

vamos voltar como era antes. eu lhe dou uma aula amanhã de noite. e quando a gente vier para a cama eu prometo não machucar você.

ele nem me esperou falar nada. deitou de barriga pra cima e dormiu.

eu fiquei deitada ali por um tempo. depois baixei a saia e me cobri porque eu estava ferida. e depois baixei também o avental.

e foi esse o momento.

não antes. ali.

que eu senti alguma coisa no bolso do avental. e enfiei a mão e tirei pra fora. o fio de arame.

eu não pensei. o que veio depois não foi pensado. não foi planejado. essa é a verdade. meu deus é minha testemunha.

eu segurei os dois cabos de madeira das pontas do arame e coloquei em cima do pescoço dele. e não pensei no que eu estava fazendo. só então apertei com toda a minha força e ele começou a fazer barulho e estava escuro e eu não sabia o que eu estava fazendo. e apertei o fio como eu fazia com os queijos e segurei até as pernas e os braços dele começarem a lutar para me afastar. e eu apertei com mais força com todo o meu peso e teve um barulho horrível e eu senti o sangue fresco aquecendo as minhas mãos.

senti o calor do sangue. e o cheiro.

e depois muito barulho.

ele parou de se mexer. e o sangue jorrou mais devagar e eu aliviei o peso no fio de arame. e pulei da cama.

corri pra porta tateando a maçaneta. e abri e saí. desci a escada no tato com as mãos nas paredes e no corrimão. e cheguei no patamar. e desci a outra escada até o primeiro andar.

eu andei pelo corredor de pedra e entrei na cozinha. ainda tinha brasa quente na lareira e eu botei mais um pouco de lenha e esperei o fogo pegar. e quando o fogo cresceu eu joguei nele alguns gravetos.

você deve estar achando que eu não estou falando a verdade mas eu estou. as minhas mãos não tremiam mais e o meu coração estava batendo tão devagar que eu achei que podia parar. parecia que eu estava me mexendo durante o sono.

o fogo chegou nos gravetos e cresceu e eu puxei uma cadeira e me sentei perto do fogo.

é difícil dizer o que estava passando na minha cabeça naquela noite ali sentada na cozinha. eu olhava as chamas se mexendo e botava lenha nova quando elas diminuíam. e olhava pela janela pra ver se o céu já estava claro.

tinha feridas entre as minhas pernas e as minhas mãos doíam mas eu não queria pensar no motivo delas estarem doendo.

eu não queria pensar. e esvaziei a minha cabeça e me obriguei a pensar só no fogo e na luz e no frio.

e então a janela ficou clara e estava amanhecendo e a luz encheu a cozinha e eu não botei mais nenhuma lenha pra queimar.

e eu levantei da cadeira. olhei pra baixo e pra mim. e deu pra ver onde tinha sangue nos meus braços e no meu avental e na minha saia. tirei eles e joguei na lareira. e fiquei vendo queimar. fui pra copa e lavei as mãos no balde branco esmaltado. a água ficou rosa.

eu andei pelo corredor de pedra até a escada. e nas paredes brancas tinha marcas vermelhas onde eu encostei as mãos pra descer de noite.

eu subi a escada e tinha mais marcas cada vez mais vermelhas quanto mais perto eu ficava do patamar e ainda mais vermelhas quanto mais perto eu ficava do último andar. então eu parei na porta do meu quarto. olhei pra baixo e deu pra ver a poça de sangue nas tábuas de madeira. e os braços dele caindo da cama e encostando no chão.

eu estava com frio e vesti a minha outra saia e o meu outro avental e as minhas botas. e eu tive que chegar perto da cama pra pegar o livro que ele tinha me dado em cima da caixa. botei o livro no bolso e eu não queria mas olhei pra cima e vi que ele estava deitado na cama, ainda com o arame no pescoço.

e só então eu comecei a tremer.

eu subi o morro e me sentei lá em cima por muito tempo. o chão estava frio e me machucava e eu queria que me machucasse.

eu conseguia ver aonde eu queria ir.

olhei pras minhas mãos e a linha embaixo das minhas unhas estava vermelha de sangue.

e eu levantei e comecei a descer o morro. e enquanto eu descia eu não andei pela alameda. fui por dentro dos campos perto do penhasco porque eu não queria ser vista. e perto da fazenda eu me agachei até encontrar a cabana atrás do celeiro. e entrei nela.

tinha um pouco de feno velho lá e eu fiz uma cama e me cobri com ele e não comi nem bebi e nem dormi. só fiquei lá tentando esvaziar a cabeça de qualquer pensamento pra não lembrar do que tinha acontecido.

mais tarde quando o céu perdeu a luz e me cobriu de escuro eu levantei e fui pro quintal. peguei um pouco dágua do poço e achei um pão velho num balde que era pra dar pro porco. mergulhei o pão na água e comi. então voltei pra cabana.

eu dormi naquela noite e de manhã acordei com as vozes e ouvi as vacas na hora de tirar o leite. e ouvi um bebê chorando. quis ir até ele mas não tive coragem.

então fiquei ali o dia todo mas antes de escurecer ouvi vozes diferentes. pareciam dois homens falando com a violet e com a mamãe e com o papai e ouvi dizerem que o jardineiro tinha achado ele e que eles iam procurar pela fazenda. eu joguei mais feno em cima de mim e fiquei parada. e ouvi quando um chamou o outro e uma voz chegando perto da cabana. eu fiquei parada mas a porta abriu e eu ouvi alguém indo direto até mim e mexendo o feno onde eu estava. e vi que era o papai. ele me olhou e eu olhei pra ele. atrás dele tinha um homem parado na porta. e o papai me cobriu.

não tá aqui, ele falou.

e eles foram embora.

depois das outras vozes irem embora o papai voltou e me descobriu. eu levantei dali batendo o feno que tinha sobrado em mim.

é melhor você entrar, ele falou.

e a gente andou pela lama e pela merda do quintal e entrou na cozinha.

a mamãe estava sentada na mesa e ela virou pra me olhar mas não disse nada.

eles vão voltar, o papai falou. você não tem muito tempo. tem que ir embora.

eu corri pelas escadas e entrei no meu velho quarto onde não tinha mais cama. só um retângulo escuro nas tábuas do chão no lugar que era a cama antes. olhei em volta. o cobertor ainda estava na janela. afastei ele e olhei lá pra fora e pro pasto e pro desenho dos montes. e vi a vaca deitada. ela virou a cabeça como se pudesse sentir que eu estava olhando pra ela. então fui no quarto do lado onde estavam as duas camas. e a bíblia da beatrice ainda em cima da cama dela.

e aí desci de novo e entrei no quarto das maçãs mas não tinha ninguém lá. só o cheiro pesado do ar. então eu entrei no outro quarto e ele estava lá sentado na cadeira dele. o meu vô. com os pés pra cima da cadeira em frente.

ele me olhou por muito tempo. tão te caçando, ele falou.

eu sei.

melhor você se sentar.

e então eu puxei a cadeira e me sentei com ele. eu vim aqui por um motivo, eu falei. enfiei a mão no bolso do meu avental e tirei a bíblia de couro preto que o seu graham tinha me dado. abri na primeira página e comecei a ler *no princípio*. eu comecei a ler. e eu continuei lendo.

ele não disse nada mas ficou sentado lá me ouvindo e me olhando. até eu baixar o livro sobre o meu colo.

você tava mesmo lendo?, ele perguntou.

tava, eu falei. eu sei escrever também.

mas você não vai precisar de ler nem de escrever onde vão te mandar. vieram aqui atrás de você.

eu sei.

e vão voltar.

não vai ser preciso, eu falei.

por quê?

porque eu vou me entregar.

eu fechei o livro e botei ele no bolso.

o senhor ficou orgulhoso?, eu perguntei.

ele não respondeu.

diz que ficou orgulhoso.

ele me olhou por um tempo. depois falou, quando você tava lendo eu fiquei orgulhoso. é, ele falou. eu fiquei.

eu fiz que sim.

eu tenho que ir agora.

eu sei.

eu levantei. botei a minha mão na dele e senti aquela pele seca e fria. apertei aquela mão uma última vez e saí.

a mamãe me olhou andar pela cozinha e ela estava com o bebê no colo e eu olhei pra ele e estendi os braços mas ela não deixou ele vir comigo.

o que que você fez?

eu balancei a cabeça. eu não sei.

aonde você vai agora?, ela perguntou.

eu vou voltar pra aquela casa, eu respondi.

eu saí pela porta. as minhas irmãs estavam no quintal e eu fiquei lá na luz que morria e na lama molhada. e pensei na última noite que eu tinha passado ali quando a gente limpou o celeiro. pensei no ar do verão. e em todas nós trabalhando juntas. e os pássaros dando rasantes. e o sol vermelho e o ar doce.

e então eu andei pelo quintal. passei pelas minhas três irmãs e pelo papai. e subi pela alameda e sem olhar pra trás. andei e andei até chegar naquela casa.

primavera

esse é o meu livro e eu tenho escrito ele. com as minhas próprias mãos.

cada palavra dele eu soletrei.

e cada letra eu escrevi.

eu falei que ia contar a verdade de tudo que aconteceu pra você. e eu contei. e tudo isso é verdade menos uma coisa.

eu falei que estava sentada na minha janela escrevendo e que lá fora dava pra ver os pássaros e as árvores e a chuva batendo no vidro.

eu falei que não dava pra ver os campos por causa da neblina.

eu falei que dava pra ver a minha pele branca refletida no vidro.

eu falei que eu não conseguia respirar e que eu tinha que abrir a janela pra melhorar.

quando eu falei essas coisas eu não estava contando a verdade.

porque não tem janela aqui. não dá pra ver nada.

tem uma parede na minha frente e uma cadeira e uma mesa e uma cama.

tem uns papéis e tem tinta e uma pena. e um balde pra mim mijar.

e tem uma porta que abre quando me dão comida e quando me dão água pra beber ou me lavar e quando esvaziam o balde.

não dá pra ver nada lá de fora. mas o mundo ainda está aqui dentro. dentro da minha cabeça.

• • •

quando me botaram aqui eu pedi a pena e a tinta. e papel. e algum tipo de mata-borrão e então eu molhei a pena na tinta. e comecei a escrever.

meu nome é mary. m. a. r. y.

meu cabelo é da cor do leite.

eu decidi começar pelo começo e terminar no fim.

e eu sei qual vai ser o fim porque vão vir me buscar e vai ser logo e vão me levar embora.

eu tive que escrever rápido porque eu não tenho muito tempo. e eu queria contar o que tinha acontecido pra você entender por que que eu fiz o que eu fiz. teve um motivo.

mas tem mais uma coisa que eu quero contar.

todo dia quando o sol nasce a minha barriga mexe.

enquanto eu escrevo aqui eu estou passando mal.

eu sei que estou de barriga.

se eu falar pra eles vão me deixar aqui de porta trancada pro resto da minha vida e vão tirar o meu bebê de mim e nunca mais vão me deixar ver ele.

eu não vou deixar eles fazerem isso.

então eu não vou falar.

e podem me levar embora.

eu sei o que vão fazer comigo. vão me botar uma corda no pescoço como eu botei um fio de arame no pescoço dele. eu vou ficar pendurada até morrer e as minhas pernas vão balançar sobre a multidão.

e o meu bebê vai morrer comigo. dentro de mim.

e o meu bebê vai ficar comigo pra sempre e o cabelo dele pode ser da cor do leite mas nunca vai ter mancha de sangue.

e agora pronto. eu acabei. não tenho mais nada pra contar pra você.

e quando eu terminar essa frase e passar o mata-borrão na sobra de tinta do fim de cada palavra

eu estarei livre.

Impresso no Brasil pelo
Sistema Cameron da Divisão Gráfica da
DISTRIBUIDORA RECORD DE SERVIÇOS DE IMPRENSA S.A.
Rua Argentina 171 – Rio de Janeiro, RJ – 20921-380 – Tel.: 2585-2000